컴알못 엄마의
AI세대 키우기 가이드

최나윤

컴알못 엄마의 AI세대 키우기 가이드

발행 | 2023년 4월 21일

저자 | 최나윤

디자인 | 어비, 미드저니

편집 | 어비

펴낸이 | 송태민

펴낸곳 | 열린 인공지능

등록 | 2023.03.09(제2023-16호)

주소 | 서울특별시

전화 | (0505)044-0088

이메일 | book@uhbee.net

ISBN | 979-11-93084-01-4

www.OpenAIBooks.shop

컴알못 엄마의
AI세대 키우기 가이드

최나윤

목차

머리말

 안녕하세요, 이 책을 선택하신 부모님들!

 이 책을 선택하셨다면 아마도 컴퓨터나 인공지능에 대해 잘 알지 못하거나, 이것이 어떻게 우리 일상생활에 깊이 영향을 미치는지 아직 잘 이해하지 못하시거나 아니면 이쪽 분야에 전문가라 할지라도 막상 내 아이를 어떻게 지도해야 할지 몰라 고민하는 분들이라는 생각이 듭니다.

하지만 걱정하지 마세요! 이 책은 바로 당신을 위한 것입니다.

 이 책은 컴퓨터나 AI를 알지 못해 오는 어려움과 불안을 극복하고, AI 시대를 살고 있는 우리 자녀들을 잘 가르치고 이끌기 위해 만들었습니다. 그리고 무엇보다 이 책을 통해 부모님들이 급변하는 기술 환경 속에서 아이들이 컴퓨터 게임과 기계의 노예가 되지 않고 호기심, 창의력, 책임감을 어떻게 키울 수 있을지 고민하고 이를 위해 부모의 역할이 얼마나 중요한지 생각해 보시길 바라는 마음으로 만들었습니다. 소중한 아이들의 미래를 준비하는 부모님들께 도움이 되길 바랍니다. 책 속에 소개된 사이트들 중에는 한국어 지원이 안되는 곳도 있다는 점, 미리 양해 바랍니다.

저자 소개

저자는 미국에서 사랑하는 남편과 너무나 예쁘고 멋진 두 아이와 함께 날마다 '더 나은 나'로 자라가고 있는 엄마입니다. 아이들이 살아가면서 어차피 배워야 하는 것들이 있다면 어떻게 즐겁게 배울 수 있을지 늘 연구하는 엄마입니다.

결혼 전에는 36개월부터 대학생에 이르기까지 다양한 연령대를 지도하고 가르쳤습니다. 결혼 후 임신으로 갖게 된 당뇨와 아이들 3살, 4살 때 발견한 초기 암으로 힘든 시간을 거쳤지만, 지금은 잘 극복하고 아이들과 행복하게 날마다 앞을 향해 한 걸음씩 나가고 있습니다. 그리고 이전 교사, 기획자의 경험을 바탕으로 다양한 컨텐츠를 만들고 있으며 엄마와 아이가 함께 읽는 마음이 따뜻해지는 동화를 쓰고 있습니다.

YouTube 채널 : https://www.youtube.com/@foryouandi

제1장

컴알못 엄마의 AI 세계 탐색

1. AI 알아가기! 더 이상 미룰 수 없어요.

저는 엄마로서 지금 시대에 태어나고 자란 아이들이 제가 성장할 때와 달리 어릴 때부터 여러 종류의 디지털 기계를 사용하는 것을 봅니다. 특히나 코로나 이후로 대면 수업을 할 수 없게 되자 아이들은 각자의 디바이스를 가지고 온라인 수업을 통해 교육받았습니다. 처음에는 생소하고 어색했지만, 시간이 지남에 따라 익숙해졌고 아이들은 엄마인 내가 생각하는 것보다 훨씬 컴퓨터를 익숙하게 잘 다루는 것을 볼 수 있었습니다. 세상은 내가 생각하는 것 이상으로 빠르게 변하고 있고 그것이 실생활 속에서 적용되고 있는데도 내가 보지 못하고 경험하지 못했다고 부정할 수는 없는 일입니다.

같은 집에 살아도 아이들은 내가 알고 만난 세상과 다른 세상을 경험하고 있는 것을 봅니다. 이전에는 친구들과 모여 놀이터도 가고 동네를 뛰어다녔지만, 이제는 아이들은 모이면 게임을 합니다. 그것도 온라인 공간 속에서 시간과 공간을 넘어 이야기하는 대상이 어른인지 아이인지 알지도 못한 채로 채팅을 하면서 게임을 합니다. 게다가 이제는 누군가가 만든 게임을 하던 시대는 지나고 아이들이 직접 게임을 디자인하고 만들기도 합니다. 아이들의 삶을 보고 있으면 확실히 세상이 달라졌음을 느끼지만, 항상 마음 한쪽에 불안이 올라오는 것은 아직 아이들은 스스로 자신이 접하는 것에 대한 바른 판단을 내릴 수 없기 때문입니다. 온라인 속에서 만나는 사람들에게 어디까지 자신의 정보를 제공해야 하는지도, 자기가 보고 있고 듣고 있는 것이 연령에 적합한지도 판단할 수 없습니다. 그런데 더욱 문제인 것은 부모인 내가 온라인 속 가상 세계에 대해 잘 알지 못하기에 아이들을 제대로 이끌고 가르치기가 어렵다는 사실입니다.

아이들이 접하는 인공지능 세계가 커질수록 불안한 마음이 커지지만 무조건 못하게 막을 수도 없는 노릇입니다. 엄마인 저 역시 제가 자세히 알지 못할 뿐, 이미 여러 분야에서 인공지능의 영향을 받고 있음을 부정할 수 없습니다. 때문에 내 아이들과 더욱 친밀한 관계를 통해 그들이 접하는 세계를 이해하고 바른 판단력을 가지고 올바른 길로 갈 수 있게 돕기 위해 AI에 대해 좀 더 구체적으로 배우기로 했습니다.

AI의 세계에 대해 더 깊이 배울수록 이에 대해 많은 정보가 있지만 모든 정보가 이해하기 쉽지는 않았습니다. 그래서 저와 같은 비전문가도 쉽게 접근할 수 있는 방식으로 AI에 대해 더 많이 배우고 싶은 마음이 들었습니다.

이 책을 통해 저는 엄마이자 비전문가로서 AI의 세계를 배워가고 탐험해가는 여정을 나누고 싶습니다. 이 복잡한 주제, AI에 대하여 직접 ChatGPT를 사용하여 배우고 알아간 사실을 책으로 만들어

저와 비슷한 고민을 하는 부모님들께 나누려고 합니다. 책의 내용도 중요하지만 이렇게 무지했던 엄마도 AI 도구로 이런 책을 만들 수 있다는 사실에 더 주목해 주시면 좋을 거 같습니다.

2. AI에 대한 기본을 알아봐요

AI 초보자인 저는 처음에는 AI를 둘러싼 기술 전문 용어에 압도당했습니다. 하지만 이 주제에 대해 배워 갈수록 AI의 기본을 이해하는 것은 내가 생각하는 것보다는 크게 어렵지 않다는 것을 알았습니다. 다소 용어들이 딱딱하지만 한번 알고 나면 이해하기가 쉬워집니다.

AI는 컴퓨터 과학의 한 분야로, 음성 인식, 의사 결정, 경험 학습 등 일반적으로 인간의 지능이 필요한 작업을 수행할 수 있는 지능형 기계를 만드는 것이 핵심입니다.

AI에는 다음과 같은 다양한 유형이 있습니다:

1) 반응형 기계(Reactive machines) - 이러한 기계는 미리 정의된 규칙에 따라 현재 상황에만 반응할 수 있습니다.

2) 제한된 메모리 머신(Limited memory machines) - 이 머신은 과거 데이터를 보고 의사 결정을 내릴 수 있습니다.

3) 마음 이론 머신(Theory of mind machines) - 인간의 감정과 생각을 이해할 수 있습니다.

4) 자기 인식 기계 (Self-aware machines)- 이러한 기계는 감정, 자기 인식, 의식을 가질 수 있습니다.

자기 인식 기계(Self-aware machines)에 대한 아이디어는 공상

과학 소설처럼 보일 수 있지만, AI는 아직 개발 초기 단계에 있으며 우리는 그 잠재력에 대해 계속 연구하고 있습니다.

부모가 AI의 기본을 이해하는 것은 자녀가 더 많은 정보를 바탕으로 책임감 있는 기술 사용자가 될 수 있도록 돕는 데 중요합니다. AI를 이해하기 위해서는 어려운 기술(Technology)적 배경지식이 필요하지 않습니다. 이전과 달리 더 많은 것을 배우고 싶은 분들을 위한 다양한 자료들이 많고, 어렵지 않게 구할 수 있습니다.

3. 일상생활에서의 AI 발견

저는 AI가 제가 생각하는 이상으로 일상생활 속에서 광범위하게 활용되고 있는 것을 알고 놀랐습니다.

AI의 가장 일반적인 응용 분야 중 하나는 시리(Siri), 알렉사(Alexa), 구글(Google) 어시스턴트와 같은 가상 비서입니다. 이러한 비서는 자연어 처리(NLP-Natural Language Processing)를 사용하여 사용자의 명령과 질문을 이해한 다음 AI 알고리즘을 사용하여 관련 응답과 조치를 제공합니다.

자연어 처리(NLP)는 인간의 언어를 해석, 조작 및 이해하는 능력을 컴퓨터에 부여하는 기계 학습 기술입니다.

AI의 또 다른 일반적인 응용 분야는 웹사이트와 앱에서 사용자의 관심사와 행동을 기반으로 제품, 서비스 및 콘텐츠를 제안하는 데 사용되는 추천 시스템입니다. 예를 들어, Netflix는 AI를 사용하여 시청 기록과 평점을 기반으로 영화와 TV 프로그램을 추천합니다.

AI는 의료 산업에서도 질병 진단, 개인 맞춤형 치료 계획 개발, 환자 모니터링 등에 활용됩니다. 금융 산업에서는 사기 탐지, 위험 관리, 투자 분석에도 AI가 사용됩니다.

AI의 활용 분야는 정말 무궁무진하며, 우리 삶의 다양한 영역에서 AI가 활용되고 있습니다.

최근에는 ChatGPT의 등장으로 이전에는 시도조차 해 볼 생각을 하지 못한 영역에 도전할 기회들이 생겼습니다. 쏟아지는 여러 기술들을 통하여서 전문가가 아니어도 그림 이미지도 만들고 음악, 영상들도 만들 수 있게 되었습니다.

4. AI, 정말 괜찮은 걸까? -우려와 논란

인공지능의 세계에 대해 더 깊이 파고들면서 인공지능을 둘러싼 우려와 논란에 대해 알게 되었습니다. 가장 큰 우려 중 하나는 편향성입니다. AI 시스템은 학습된 데이터만큼만 성능이 향상됩니다. 때문에 데이터가 편향되어 있으면 AI 시스템도 편향될 수 있습니다. 예를 들어, AI 시스템이 주로 한 인종이나 성별의 데이터로 학습된 경우, 다른 인종이나 성별의 개인을 다룰 때 정확하거나 공정하지 않을 수 있습니다. 이는 편향된 채용 관행이나 불공정한 대출 결정과 같은 차별적인 결과로 이어질 수 있습니다.

또 다른 우려는 일자리 대체입니다. AI 시스템이 더욱 발전함에 따라 이전에는 사람이 수행하던 많은 작업을 자동화할 수 있게 되었습니다. 이는 기업의 효율성 향상과 비용 절감으로 이어질 수 있지만, 근로자의 실직으로 이어질 수도 있습니다. 특히 데이터 입력이나 조립 라인 작업과 같이 반복적이거나 일상적인 작업을 수행하는 직종의 경우 더욱 그렇습니다. 우리 사회가 AI로 인해 일자리를 잃을 수 있는 근로자를 어떻게 지원할 수 있을지 고민하는 것이 중요합니다.

AI의 윤리에 대한 우려도 있습니다. 예를 들어, 전쟁이나 형사사법(criminal justice) 분야에서 AI 시스템을 어떻게 사용해야 하는지, 인간의 감독 없이 중대한 결과를 초래하는 결정을 내릴 수 있도록 허용해야 하는지에 대한 의문이 제기되고 있습니다. 이러한 문제는 신중한 고려와 논의가 필요한 복잡한 문제이며, AI 기술을 계속 개발하고 사용함에 따라 모든 사람이 이러한 우려를 인식하는 것이 중요합니다.

5. AI에 대해 더 자세히 알아봐요.
 AI 세계에 대해 더 자세히 알고 싶은 사람이라면 누구나 이용할 수 있는 자료를 어렵지 않게 많이 얻을 수 있습니다.

1) 기본부터 시작하세요: 복잡한 AI 개념에 대해 알아보기 전에 이 분야의 기본 원리를 이해하는 것이 중요합니다. 온라인에서 AI에 대한 무료 강좌를 찾아서 들어 보세요.

2) AI 커뮤니티에 가입하세요: 블로그나 SNS를 적극 활용하세요. 온라인 AI 커뮤니티에 가입하는 것은 AI에 대한 관심사를 공유하는 다른 사람들과 소통할 수 있는 좋은 방법입니다. 여러 사람과의 소통을 통해서 궁금한 사항들을 해결할 수 있습니다.

3) 책과 기사를 읽으세요: 다양한 수준의 이해를 돕기 위해 쓰인 AI 주제에 관한 책과 기사가 많이 있습니다.

AI에 관해 배울 수 있는 서적을 소개합니다.

 a) 김성훈 저자의 "AI가 대화하는 시대: 누구나 알아야 할 인공지능의 모든 것"- 인공지능과 딥러닝의 기초부터 응용까지 이해하기 쉽게 설명하는 책입니다.

 b) 조현영 저자의 "예측할 수 있는 AI"- 예측 가능한 인공지능 기술의 발전과 이를 이용한 서비스들을 다양한 측면에서 분석하고 예측하는 책입니다.

 c) 한상혁 저자의 "미래를 바꿀 인공지능"- 인공지능의 역사와 현재 그리고 미래를 다양한 측면에서 분석하고, 인공지능이 우리 사회와 경제에 미치는 영향과 대처 방안을 제시하는 책입니다.

 d) 김태현 저자의 "인공지능 시대, 우리는 어떻게 살 것인가"- 인공지능이 사회와 경제에 미치는 영향을 다양한 측면에서 분석하고, 인공지능 시대에 어떻게 살아갈 것인지에 대한 고민과 대처 방안을 제시하는 책입니다.

 e) 조성준 저자의 "인공지능 이야기"- 인공지능 현황과 기술적인 내용을 비롯하여 인공지능이 사회와 경제에 미치는 영향, 인공지능이 가진 윤리적 문제 등을 폭넓게 다루는 책입니다.

4) 실제 프로젝트를 통해 연습하세요: 실습을 통한 학습은 AI에 대해 배우는 가장 효과적인 방법의 하나입니다. Kaggle 대회나 나만의 *챗봇 구축과 같은 실제 프로젝트에 참여할 기회를 찾아보세요.

*챗봇(chatbot) 혹은 **채터봇**(chatterbot)은 음성이나 문자를 통한 인간과의 대화를 통해서 특정한 작업을 수행하도록 제작된 컴퓨터 프로그램이다

AI에 대해 배우는 것은 목적지가 아니라 여정이라는 점을 기억하고 천천히 시간을 갖고 발견의 과정을 즐기시길 바랍니다.

제2장
AI 교육이 중요한 이유

1. AI, 조기 교육이 필요할까?

 기술(technology)에 익숙하지 않은 엄마로서 저는 처음에는 AI 교육의 중요성에 대해 그리 깊이 생각하지 않았습니다. 아이들이 이른 나이부터 굳이 알고리즘과 기계 학습에 대해 배워야 한다고 생각하지 않았고 AI는 그저 관심 있는 학생들의 선택영역이라 생각했습니다. 하지만 AI가 우리 세상에서 점점 더 중요한 부분이 되어 가고 있는 것을 보면서 이것이 향후 우리 삶의 여러 측면에 혁명을 일으킬 잠재력을 가지고 있다는 것을 깨달았습니다. 그래서 저는 AI 교육이 왜 중요한지, 왜 우리 아이들의 미래를 위해 중요한지 더 깊이 알아가기로 했습니다.

2. AI 교육의 좋은 점은 뭘까?

 엄마로서 저는 교육은 자녀에게 줄 수 있는 가장 중요한 선물 중 하나라고 생각합니다. 빠르게 변화하는 오늘날의 세상에서 아이들이 미래를 준비할 수 있도록 하는 것은 매우 중요한 일이 아닐 수 없습니다. 특히 AI에 대한 준비는 날로 더 중요해질 거로 생각합니다.

처음부터 AI에 대한 교육을 깊이 생각하지 않았습니다. AI에 대해 잘 몰랐고 아이들이 아직 어리기에 컴퓨터를 다루는 것보다 책을 많이 읽는 것이 더 중요하다고만 생각했습니다. 하지만 시간이 지날수록 나의 의도와 달리 생활 주변 모든 곳에서 아이들이 AI를 접하고 있기에 더 이상 이것에 대해 생각하고 교육하는 것을 미룰 수 없었습니다. AI가 교육에 미치는 영향력을 알아갈수록 염려되는 점도 분명히 있지만 그에 반해 많은 이점이 있다는 것을 발견하게 되었습니다.

AI 교육의 큰 장점 중 하나는 비판적 사고와 문제 해결 능력을 가르친다는 점입니다. AI를 통해 아이들은 논리적이고 체계적인 방식으로 문제에 접근하고, 문제를 더 작은 부분으로 나누고, 데이터와 알고리즘을 사용하여 해결책을 찾도록 권장됩니다. 이러한 기술은 오늘날 세계에서 점점 더 중요해지고 있으며 앞으로 더욱 가치가 높아질 것입니다.

AI 교육의 또 다른 장점은 아이들이 미래의 직업을 준비할 수 있도록 도와준다는 점입니다. AI는 이미 다양한 산업 분야에서 활용되고 있으며, 앞으로도 계속해서 인력의 주요 부분을 차지할 가능성이 높습니다. 아이들에게 AI에 대해 가르침으로써 미래를 준비시킬 수 있습니다.

AI는 기후 변화, 빈곤, 질병과 같은 세계의 가장 큰 문제를 해결할 수 있는 잠재력을 가지고 있습니다. 아이들에게 AI에 대해 가르치고 현실의 문제를 해결하는 데 AI가 어떻게 사용될 수 있는지 생각하도록 장려함으로써, 우리는 아이들이 세상에 긍정적인 영향을 미칠 수 있도록 힘을 실어줄 수 있습니다.

전반적으로 저는 AI 교육이 우리 아이들의 미래를 위해 매우 중요하다고 생각합니다. 아이들에게 AI와 이에 필요한 기술을 가르침으로써

, 점점 더 복잡해지는 세상에서 이끌려 가는 자가 아니라 세상을 이끌고 가는 자로 성장하길 기대합니다.

3. 아이들의 미래 직업, 어떻게 준비해야 할까?

AI는 이미 다양한 산업을 변화시키고 새로운 직업을 창출하고 있으며, 앞으로도 이러한 변화는 계속될 것입니다. 실제로 일부 추정에 따르면 현재 초등학교에 입학하는 어린이의 최대 65%가 현재 존재하지 않는 직종에서 일하게 될 것이라고 합니다. 그렇다면 이는 우리 아이들의 교육에 어떤 의미가 있을까요? AI가 점점 더 널리 보급되는 세상에서 성공하는 데 도움이 되는 기술과 지식을 갖추게 해야 한다는 뜻입니다. 여기에는 AI와 관련된 기술뿐만 아니라 적응력, 창의성, 비판적 사고와 같은 소프트 스킬도 포함됩니다. AI 교육을 통해 이러한 기술을 키우면 아이들은 살면서 맞닥뜨리는 여러 가지 복잡한 문제들을 잘 해결해 나갈 수 있을 것입니다.

물론 저처럼 AI에 익숙하지 않은 부모에게는 말처럼 쉬운 일이 아닙니다. 하지만 AI가 향후 취업 시장에 미칠 잠재적 영향에 대해 생각한다면 부모님들이 자녀들의 미래를 위해 AI에 대해 배우기 시작하는 것이 중요하다고 생각합니다. 온라인 강좌, 워크샵 또는 최신 뉴스 등, 이 분야에 대한 지식과 자신감을 쌓을 방법은 많습니다. 그렇게 함으로써 AI가 점점 더 중요한 역할을 하는 세상에서 우리 자녀들이 성공할 수 있는 역량을 갖출 수 있도록 도울 수 있습니다.

4. AI가 실제적인 문제를 해결할 수 있을까?

저는 AI가 실제 문제를 해결하는 데 어떻게 도움이 될 수 있는지 탐구하는 것이 중요하다고 생각합니다. AI는 의료에서 운송에 이르기까지 수많은 산업을 변화시킬 잠재력이 있으며 사회의 가장 큰 문제를 해결하는 데 도움이 될 수 있습니다.

AI가 실제 문제를 해결하는 데 사용되는 한 가지 예는 의료 분야입니다. 의료 전문가는 AI 알고리즘을 사용하여 질병을 진단하고 환자를 위한 맞춤형 치료 계획을 세울 수 있습니다. 이것은 더 나은 건강 결과와 많은 사람의 삶의 질 향상으로 이어질 수 있습니다.

AI는 또한 많은 양의 데이터를 분석하여 환경 데이터의 패턴과 추세를 식별함으로써 기후 변화를 해결하는 데 도움을 줄 수 있습니다. 이는 기후 변화의 영향을 완화하고 미래 세대를 위해 지구를 보호하기 위한 더욱 효과적인 솔루션을 개발하는 데 도움이 될 수 있습니다.

또한 AI는 운송 시스템을 개선하여 더 효율적이고 안전하며 환경친화적으로 만들 수 있습니다. 예를 들어, 자율주행차는 사람의 실수로 인한 사고를 줄이고 탄소 배출량을 줄일 수 있습니다.

이 밖에도 실제 문제를 해결할 수 있는 AI의 잠재력은 엄청납니다. 그 능력을 탐구하고 새로운 기술을 개발함으로써 우리는 우리 자신과 다음 세대를 위한 더 나은 미래를 만들 수 있습니다.

5. AI, 윤리적으로 문제는 없을까?

엄마로서 저는 AI 교육에서 윤리적 고려 사항을 다루는 것이 필수적이라고 생각합니다. AI 시스템은 점점 더 정교해지고 있으며 우리 삶의 여러 측면에 통합되고 있습니다. 따라서 이러한 시스템의 잠재적인 윤리적 영향을 고려하는 것이 중요합니다.

주요 윤리적 고려 사항 중 하나는 AI 알고리즘의 편향 문제입니다. 데이터에 편향이 포함되어 있으면 AI 시스템에도 이러한 편향이 발생합니다. 이것은 특정 집단의 사람들에 대한 차별로 이어지거나 기존의 불평등을 강화할 수 있습니다. AI 교육에서 이 문제를 해결하여 우리 아이들이 편견 없는 알고리즘 개발의 중요성과 지속적인 편견을 피하는 방법을 이해하도록 하는 것이 중요합니다.

또 다른 윤리적 고려 사항은 AI 기술의 잠재적 오용입니다. AI는 딥페이크(Deepfake-AI를 기반으로 활용한 인간 이미지 합성 기술) 생성이나 자율 무기 개발과 같은 사악한 목적에 사용될 수 있습니다. 아이들에게 AI의 잠재적 피해에 대해 교육하고 아이들이 긍정적인 목적을 위해 지식을 사용하도록 격려하는 것이 중요합니다.

또한 AI 시스템이 고도화됨에 따라 일자리가 대체될 가능성이 있습니다. AI가 노동력에 미치는 잠재적 영향에 대해 아이들을 교육하고 현재와 미래의 직업 시장에서 요구되는 기술을 개발하도록 격려하는 것이 중요합니다.

우리 아이들이 AI 기술의 책임감 있고 지식이 풍부한 사용자가 되기 위해서는 이러한 윤리적 고려 사항에 대해 생각해 볼 수 있어야 합니다. 부모로서 아이들이 AI의 윤리적 함의를 이해하고 세상을 더 나은 곳으로 만들기 위해 지식을 어떻게 사용할 수 있을지 함께 생각하고 이끌어 주는 것은 중요한 일입니다.

제3장
어린이 AI 교육하기

1. 어린이에게 AI를 가르치는 중요한 이유

 부모로서 저는 아이들에게 인공지능(AI)을 가르치는 것이 미래에 필요한 중요한 기술을 개발하는 데 도움이 되기 때문에 중요하다고 생각합니다. AI는 이미 많은 산업 분야에서 사용되고 있으며, 앞으로도 우리 사회에서 점점 더 중요한 역할을 할 것입니다. 아이들이 AI에 대해 배움으로 사고 능력과 창의력을 기를 수 있고 미래를 대비할 수 있습니다.

2. 연령에 따라 AI를 어떻게 가르쳐야 할까?

 아이들에게 AI를 가르칠 때는 연령에 맞는 접근 방식을 취하는 것이 중요합니다. 어린아이들은 신경망이나 머신러닝, 알고리즘과 같은 복잡한 개념을 이해하지 못할 수 있습니다. 대신 컴퓨터가 패턴을 인식하는 방법이나 챗봇(chatbot)이 질문에 응답하는 방법과 같은 더욱 기본적인 용어로 AI에 대해 배울 수 있습니다.

어린 자녀의 경우 AI를 탐색하고 실험할 수 있는 실습 활동에 집중하는 것이 중요합니다. 예를 들어 블록 기반 프로그래밍 언어를 사용하여 간단한 프로그램을 만들 수 있습니다. 이러한 프로그램은 색상이나 모양 인식과 같은 간단한 작업을 수행하도록 설계할 수 있습니다.

블록 기반 프로그래밍 언어는 사용자가 미리 작성된 코드 블록을 드래그 앤 드롭(끌어다가 내려 놓음)하여 코드를 생성하는 프로그래밍 언어의 한 유형입니다. 블록 기반 프로그래밍 언어로는 스크래치(Scratch), 블록리(Blockly), Code.org 등이 있습니다. 이것은 아이들에게 중요한 개념과 기술을 재미있고 흥미롭게 배울 방법을 제공하여 향후 프로그래밍을 성공적으로 수행할 수 있는 기반을 마련해줍니다.

나이가 많은 어린이는 이미지 인식의 작동 방식이나 자연어 처리(NLP-Natural Language Processing)에 AI를 사용하는 방법과 같은 고급 AI 개념에 대해 배울 수 있습니다. 또한 AI 개발에 일반적으로 사용되는 파이선(Python)과 같은 프로그래밍 언어를 소개할 수도 있습니다.

모든 어린이가 다르기 때문에 AI에 대한 관심사가 다를 수 있다는 점을 기억하는 것이 중요합니다. 어떤 아이는 기술에 흥미를 느껴 기술적 세부 사항을 깊이 파고들고 싶어 할 수도 있고, 어떤 아이는 기본적인 것만 배우고 싶어 할 수도 있습니다. 부모는 AI 수업을 설계할 때 자녀의 관심사와 능력을 고려하는 것이 중요합니다.

3. 어린이를 위한 실습 활동과 프로젝트

실습 활동과 프로젝트는 아이들에게 AI에 대해 가르칠 수 있는 좋은 방법입니다. 이러한 활동을 통해 아이들은 재미있고 매력적인 방식으로 기술을 탐구할 수 있으며, 문제 해결 및 비판적 사고와 같은 중요한 기술을 습득하는 데 도움이 될 수 있습니다.

재미있는 프로젝트 중 하나는 챗봇(chatbot)을 만드는 것입니다. 스크래치와 같은 블록 기반 프로그래밍 언어를 사용하여 질문에 답하거나 대화를 이어갈 수 있는 간단한 챗봇을 만들 수 있습니다. 그런 다음 음성 인식이나 자연어 처리와 같은 새로운 기능을 추가하는 실험을 할 수 있습니다.

또 다른 재미있는 프로젝트는 이미지 인식 모델을 훈련하는 것입니다. 구글의 티처블 머신(Teachable Machine)과 같은 프로그램을 사용하여 컴퓨터가 다양한 물체를 인식하도록 훈련할 수 있습니다. 그런 다음 다양한 훈련 세트로 실험하여 시간이 지남에 따라 컴퓨터의 인식 능력이 어떻게 향상되는지 확인할 수 있습니다. 티처블 머신은 머신러닝학습(기계학습) 도구이며, 누구나 머신러닝 모델을 쉽고 빠르게 만들 수 있도록 제작된, 웹 기반 도구입니다.

이 밖에도 AI를 사용하는 게임 만들기, AI를 사용하여 탐색하는 로봇 디자인하기, 장난감 자동차와 간단한 센서를 사용하여 자율 주행 자동차 만들기 등을 할 수 있습니다.

다음은 아이들이 AI 구축을 연습하기 위해 할 수 있는 몇 가지 구체적인 실습 활동과 프로젝트의 예입니다:

a) 챗봇(Chatbot) 만들기: 구글에서 개발한 챗봇 개발 플랫폼인 다이얼로그그플로우(DialogFlow)나 마이크로소프트 봇 프레임워크(Bot Framework) 같은 플랫폼을 사용하여 챗봇을 만들 수 있습니다. 이 활동을 통해 자연어 처리(NLP)의 작동 방식과 대화형 인터페이스를 만드는 방법을 이해할 수 있습니다. 하지만 챗봇 만들기는 아이들 스스로하기에는 어렵기에 부모님들이 도와주거나 이런 것도 직접해볼 수 있다는 정도로 알려주는 것도 도움이 됩니다.

b) 이미지 인식 모델 훈련하기: Teachable Machine 또는 Google AutoML과 같은 플랫폼을 사용하여 이미지를 다양한 카테고리로 분류할 수 있는 이미지 인식 모델을 훈련할 수 있습니다. 이 활동은 아이들이 머신러닝 알고리즘의 작동 원리와 레이블이 지정된 데이터를 사용하여 알고리즘을 훈련하는 방법을 이해하는 데 도움이 될 수 있습니다.

c) 추천 시스템 만들기: LensKit 또는 Apache Mahout과 같은 플랫폼을 사용하여 사용자의 선호도에 따라 항목을 제안할 수 있는 추천 시스템을 만들 수 있습니다. 이 활동을 통해 아이들은 협업 필터링의 작동 방식과 이를 사용하여 개인화된 추천을 만드는 방법을 이해할 수 있습니다.

d) 게임 AI 만들기: Unity 또는 Unreal Engine과 같은 플랫폼을 사용하여 AI 상대가 포함된 게임을 만들 수 있습니다. 이 활동을 통해 의사 결정 알고리즘의 작동 방식과 사용자 행동에 적응할 수 있는 게임 AI를 만드는 방법을 이해할 수 있습니다.

위의 플랫폼 외에 한국어로 설정해서 다음과 같은 플랫폼도 사용할 수 있습니다.

a) 스크래치 프로그래밍(Scratch Programming): 스크래치는 MIT에서 개발한 무료 프로그래밍 언어로 애니메이션, 게임, 인터랙티브 스토리를 만드는 데 사용할 수 있습니다. 아이들은 스크래치를 사용하여 챗봇이나 대화형 캐릭터와 같은 간단한 AI 프로그램을 만들 수 있습니다.

b) 라즈베리 파이 프로젝트(Raspberry Pi Projects): 라즈베리 파이는 신용카드 크기의 저렴한 컴퓨터로 다양한 AI 프로젝트에 사용할 수 있습니다. 어린이들은 라즈베리 파이를 이용해 AI 로봇, 스마트 홈 기기, 심지어 자율주행차까지 만들 수 있습니다.

c) 어린이를 위한 머신 러닝(Machine Learning for Kids): 어린이를 위한 머신 러닝은 대화형 프로젝트를 통해 어린이에게 머신 러닝의 기초를 가르치는 무료 온라인 플랫폼입니다. 어린이는 이 플랫폼을 사용하여 이미지를 인식하고, 언어를 번역하고, 날씨를 예측할 수 있는 자신만의 AI 모델을 만들 수 있습니다.

d) 로봇 공학 클럽(Robotics Clubs): 로보틱스 클럽은 아이들이 실습과 협업 환경에서 AI와 로봇에 대해 배울 수 있는 좋은 방법입니다.

이 밖에도 아이들에게 사회적 공익을 위한 AI를 소개해 주세요. 기후 변화, 빈곤, 의료와 같은 현실 세계의 문제를 해결하기 위해 AI를 사용할 수 있습니다. 예를 들어, 위성 이미지를 사용하여 삼림 벌채를 추적하거나 자연어 처리를 사용하여 소셜 미디어 게시물에서 정신 질환의 징후를 분석할 수 있습니다. 이런 것들을 통해 아이들은 AI가 사회적 이익을 위해 어떻게 사용될 수 있는지, 그리고 윤리적이고 책임감 있는 AI 솔루션을 설계하는 방법을 배울 수 있습니다.

위의 활동들은 아이들이 AI 구축을 연습하기 위해 할 수 있는 다양한 실습 활동과 프로젝트 중 몇 가지 예에 불과합니다. 조금만 알아보면 어린이를 위한 수업과 워크숍을 제공하는 AI 교육 프로그램이 많이 있습니다. 이러한 교육을 통해 어린이는 AI에 대한 실질적인 경험을 쌓고 차세대 AI 혁신가가 되기 위해 필요한 기술을 개발할 수 있습니다.

4. AI에 대한 오해 설명하기

 AI에 대한 오해가 많기 때문에 아이들에게 기술을 가르칠 때 이를 바로잡는 것이 중요합니다. 몇 가지 일반적인 오해는 다음과 같습니다:

`AI가 세상을 장악할 것이다

`AI는 항상 옳다

`AI는 인간이 할 수 있는 모든 것을 할 수 있다

이러한 오해를 풀기 위해서는 AI가 인간을 대체하는 것이 아니라 인간을 돕기 위해 고안된 도구라는 점을 강조하는 것이 중요합니다. 또한 AI는 학습한 데이터만큼만 성능이 뛰어나며 인간과 마찬가지로 실수를 할 수 있다는 점을 설명하는 것도 중요합니다.

5. 아이들의 배움에 대한 애정 키우기

 부모로서 저는 아이들에게 배움에 대한 애정을 길러주는 것이 얼마나 중요한지 잘 알고 있습니다. 아이들에게 AI를 가르칠 때도 마찬가지입니다. 사실 AI는 빠르게 진화하는 분야이기 때문에 배움에 대한 애정을 키우는 것이 특히 중요합니다.

아이들이 AI에 대해 배우는 것을 좋아하도록 장려하는 한 가지 방법은 AI를 아이들의 삶과 연관시키는 것입니다. 아이들이 좋아하는 소셜 미디어 앱부터 온라인에서 접하는 챗봇에 이르기까지 주변 세계에서 AI가 어떻게 사용되는지 이해하도록 도와주세요. 아이들이 AI의 실제 적용 사례를 보게 되면 AI에 대해 더 많이 배우고 싶어 할 가능성이 커집니다.

또 다른 방법은 아이들에게 학습에 대한 소유권을 부여하는 것입니다. 아이들이 직접 AI 프로젝트를 선택하고 실수하고 이를 통해 배울 수 있도록 기회를 주세요. 이는 자녀의 참여도를 높일 뿐만 아니라 자신감과 문제 해결 능력을 키우는 데도 도움이 됩니다.

그리고 자녀의 성취와 발전을 축하해 주세요. 아이들이 자신의 노력이 결실을 맺는다는 것을 알게 되면 학습과 탐구를 계속할 가능성이 커집니다.

4장
호기심의 힘: 어린이가 AI를 탐구하도록 장려하기

1. 왜 학습에서 호기심이 중요할까?

부모로서 저는 호기심이 아이들의 발달에 가장 중요한 자질 중 하나라고 생각합니다. 호기심은 학습과 탐구의 원동력이 되며, 놀라운 발견과 혁신으로 이어질 수 있습니다. 인공지능(AI) 분야에서 호기심은 아이들이 빠르게 발전하는 기술을 탐구하고 이해하도록 영감을 줄 수 있기 때문에 특히 중요합니다.

2. 호기심 불러일으키기, 이렇게 해 보세요.

엄마로서 저는 아이들의 호기심을 자극하는 것이 AI를 탐구하도록 장려하는 첫걸음이라고 생각합니다. 이를 위한 몇 가지 방법에 관해 설명하겠습니다.

첫째, 기본부터 시작하여 AI가 무엇인지 간단한 용어로 설명하는 것이 중요합니다. 아이들은 자연스럽게 호기심이 많기 때문에 질문을 하는 것은 AI에 대한 대화를 시작할 수 있는 좋은 방법입니다. 질문에 답하고 AI가 일상생활에 어떤 영향을 미치는지 생각해 보도록 유도하면 아이들은 기술에 대해 더 많은 관심을 갖게 될 것입니다.

둘째, 오늘날 AI가 어떻게 사용되고 있는지에 대한 실제 사례를 보여 주면 아이들의 호기심을 자극하는 데 도움이 될 수 있다고 생각합니다. 예를 들어 비디오 게임이나 Siri 또는 Alexa와 같은 음성 어시스턴트에서 AI가 어떻게 사용되는지 보여 주면 기술이 어떻게 작동하고 어떻게 유용할 수 있는지 이해하는 데 도움이 될 수 있습니다.

셋째, 과학, 수학, 심지어 예술과 같은 다른 과목에 AI 개념을 통합하는 것이 좋습니다. 예를 들어, 과학 수업에서 이미지 인식의 개념을 소개하면 컴퓨터 비전이나 사진에 관심이 있는 아이들의 호기심을 자극할 수 있습니다.

넷째, 대화형 및 실습 활동을 활용하는 것도 AI에 대한 아이들의 호기심을 불러일으킬 수 있는 좋은 방법입니다. 예를 들어 챗봇이나 간단한 이미지 인식 모델을 만들면 아이들이 AI의 작동 방식과 기능을 이해하는 데 도움이 될 수 있습니다.

다섯째, 지지하고 격려하는 환경을 조성하는 것이 AI에 대한 아이들의 호기심을 불러일으키는 데 핵심이라고 생각합니다. 아이들의 노력을 칭찬하고 계속 학습하도록 격려하면 아이들은 AI를 탐구하고 이 분야에서 자신의 흥미와 열정을 발견할 가능성이 높아질 것입니다.

아이들의 호기심을 자극하는 것은 AI를 탐구하도록 장려하는 데 중요한 단계입니다. 기초부터 시작하여 실제 사례를 보여주고, AI 개념을 다른 과목에 통합하고, 대화형 활동을 활용하고, 지원하는 환경을 조성함으로써 어린이들이 AI에 대해 더 많은 호기심을 갖고 기술에 대해 더 많이 배우도록 유도할 수 있습니다.

3. AI 개념을 재미있고 흥미롭게 소개해 주세요

 아이들에게 AI 개념을 소개하는 것은 어려울 수 있지만 매우 재미있을 수도 있습니다.

AI 개념을 소개하는 재미있는 방법의 하나는 보드게임을 사용하는 것입니다. AI를 이해하는 데 필수적인 순서(배열)와 논리와 같은 기본 프로그래밍 개념을 가르치는 보드게임이 많이 있습니다. 로봇 거북이, 코드 마스터, 그래비티 메이즈와 같은 게임은 프로그래밍 개념을 재미있고 흥미롭게 가르칠 수 있는 좋은 예입니다. 이러한 게임은 아이들이 이해할 수 있을 만큼 간단하면서도 충분히 도전적이어서 흥미와 관심을 유지할 수 있도록 설계되었습니다.

AI 개념을 소개하는 또 다른 방법은 온라인 게임과 앱을 이용하는 것입니다. 가상 비서나 챗봇과 같이 아이들이 상호작용할 수 있는 AI 기술을 사용하는 게임과 앱이 많이 있습니다. 이러한 게임을 통해 아이들은 더 실용적이고 인터랙티브한 방식(이용자 선택에 따라 전체적인 진행 방향이나 결말이 달라지는 콘텐츠를 말한다)으로 AI에 대해 배울 수 있습니다. 예를 들어, 스크래치 주니어(ScratchJr) 앱은 아이들이 자신만의 인터랙티브 스토리와 애니메이션을 만들 수 있도록 하여 코딩하는 방법을 가르쳐줍니다.

퍼즐은 아이들에게 AI 개념을 소개하는 또 다른 좋은 방법입니다. 퍼즐은 아이들에게 논리적이고 순차적으로 생각하도록 도전하며, 이는 AI를 이해하는 데 필수적인 기술입니다. 로봇과 기타 AI 관련 이미지가 등장하는 직소 퍼즐 등 다양한 AI 테마 퍼즐이 있습니다. 이러한 퍼즐은 아이들이 재미있고 매력적인 방식으로 AI 개념을 소개하면서 문제 해결 능력을 키우는 데 도움이 될 수 있습니다.

로봇 키트는 아이들에게 AI 개념을 소개하는 또 다른 좋은 방법입니다. 이러한 키트를 사용하면 아이들이 직접 로봇을 만들고 프로그래밍할 수 있어 AI 기술을 직접 체험할 수 있습니다. 레고 스파이크 프라임(Lego spike prime)과 같은 많은 로봇 키트에는 시각적 프로그래밍 언어를 사용하여 로봇을 프로그래밍할 수 있는 소프트웨어가 함께 제공됩니다. 따라서 아이들이 로봇을 조립하고 가지고 놀면서 프로그래밍 개념을 쉽게 배울 수 있습니다.

부모는 게임, 퍼즐, 로봇 키트를 사용하여 아이들이 AI에 쉽게 접근하고 흥미를 느낄 수 있도록 함으로써 이 흥미로운 분야에 대해 더 많이 탐구하고 배우도록 장려할 수 있습니다.

4. AI 연구 개발에 크게 기여한 어린이들

흔히 AI 연구 개발이라고 하면 전문 분야에서 일하는 고학력, 고경력자를 떠올리기 마련입니다. 하지만 어린이들도 AI 기술 개발에 크게 기여를 하고 있습니다.

유명한 사례 중 하나는 5살 때부터 코딩에 관심을 갖고 9살에 처음으로 AI 프로그램을 개발하기 시작한 탄메이 박시(Tanmay Bakshi)의 사례입니다. 13살 무렵에는 자신만의 신경망

아키텍처를 개발했고, AI와 세상을 변화시킬 잠재력에 대해 TEDx 강연을 하기도 했습니다. 이후 박시는 AI에 관한 여러 권의 책을 출간했으며, IBM 왓슨의 홍보대사로 활동하며 혁신적인 AI 솔루션 개발에 힘쓰고 있습니다.

또 다른 주목할 만한 사례로는 6살에 코딩을 시작하여 8살에 첫 번째 보드게임인 코더버니즈(CoderBunnyz)를 만든 사마이라 메타(Samaira Mehta)의 사례가 있습니다. 이 게임은 어린이들에게 코딩의 기초를 가르치며 여러 상을 받았습니다. 이후 메타는 다른 게임도 개발했으며, 어린이들에게 코딩 방법을 가르치는 교육 리소스와 제품을 제공하는 자신의 회사인 코더버니즈(CoderBunnyz)를 설립했습니다.

AI 개발에 크게 기여한 젊은 연구원들의 사례도 있습니다. 예를 들어 안비타 굽타(Anvita Gupta)는 유방암의 조기 징후를 감지할 수 있는 알고리즘을 개발했습니다. 당시 17살이었던 굽타는 고등학교 프로젝트의 일환으로 이 알고리즘을 개발했습니다. 이후 그녀는 포브스 30세 이하 30인 과학 부문에 선정되는 등 그 공로를 인정받아 여러 상을 받았습니다.

또 다른 사례로는 자폐증을 가진 사람들을 돕기 위해 AI 기반 앱을 개발한 이든 쉘크로스(Ethan Shallcross)가 있습니다. 쉘크로스는 7살 때 자폐 진단을 받고 10살 때부터 코딩을 시작했습니다. 그는 자폐증이 있는 사람들이 다른 사람들과 더 쉽게 소통할 수 있도록 돕기 위해 Aumi라는 앱을 개발했습니다. 이 앱은 자연어 처리(NLP)를 사용하여 사용자의 요구를 이해하고 이에 응답하며, AI 기술의 혁신적인 사용으로 널리 인정받고 있습니다.

이러한 사례는 AI 연구 및 개발에 크게 기여하는 데 나이가 장애가 되지 않는다는 것을 보여줍니다. 학습에 대한 애정을 키우고 실험과 놀이의 기회를 제공함으로써 어린이들은 빠르게 성장하는 이 분야에 기여하는 데 필요한 기술과 창의성을 개발할 수 있습니다.

5. 우리 아이들도 AI의 미래를 만들 수 있어요

 호기심 많은 어린이가 AI의 미래를 만들어갈 수 있는 잠재력은 방대하고 흥미진진합니다. 4장의 사례에서 보았듯이 어린이들은 이미 AI 연구와 개발에 상당한 기여를 하고 있으며, 적절한 격려와 지원만 있다면 더 많은 어린이가 참여할 수 있을 것입니다. 아이들에게 호기심을 키우고 이 기술을 탐구하고 실험할 기회를 제공한다면 아이들은 차세대 AI 전문가이자 혁신가로 성장할 수 있습니다.

이렇게 아이들의 호기심을 키우는 것의 이점은 미래의 AI 리더를 양성하는 것 그 이상의 의미가 있습니다. 호기심은 모든 분야에서 성공의 핵심 요소이며, 호기심을 키우면 평생 학습과 탐구에 대한 애정으로 이어질 수 있습니다. 아이들은 질문하고 실험하고 놀면서 비판적 사고, 문제 해결, 창의성 같은 것을 키울 수 있습니다. 이러한 자질을 키움으로 아이들은 성공적인 전문가가 될 뿐만 아니라 세상에 긍정적인 영향을 미치고자 하는 다재다능하고 참여적이며 성취감을 느끼는 개인으로 성장할 수 있습니다.

제5장
AI와 윤리: 책임감 있는
기술 사용 가르치기

1. AI 교육에서 윤리적 고려의 필요

인공지능(AI)이 일상생활에 점점 더 널리 보급됨에 따라 이 기술의 윤리적 함의를 다루는 것이 매우 중요해졌습니다. AI는 의료에서 교통에 이르기까지 다양한 분야에 혁신을 가져올 잠재력을 가지고 있지만, AI를 어떻게 사용하고 규제할지에 대한 중요한 윤리적 문제도 제기합니다. 따라서 AI의 미래를 만들어갈 어린이들에게 AI 교육에서 윤리적 고려사항의 중요성에 대해 교육하는 것은 필수적입니다.

2. AI의 기본 윤리를 가르쳐 주세요

인공 지능(AI)이 일상생활에 점점 더 많이 통합됨에 따라 어린이들에게 이 기술의 윤리적 고려 사항에 대해 가르치는 것이 매우 중요합니다.

공정성은 AI 윤리의 기본 개념입니다. 공정성은 AI 시스템이 편견 없이 모든 개인을 동등하게 대우해야 한다는 생각을 말합니다. 예를 들어, AI 시스템이 채용 결정을 내리는 데 사용되는 경우 인종, 성별 또는 기타 개인적 특성에 따라 차별해서는 안 됩니다. 아이들에게 AI의 공정성에 대해 가르치면 디지털 세계와 실생활 모두에서 다른 사람을 평등하고 존중하는 태도의 중요성을 이해하는 데 도움이 될 수 있습니다.

책임감은 AI 윤리의 또 다른 중요한 원칙입니다. 이는 AI 시스템을 만들고 사용하는 사람들이 이러한 시스템이 내린 행동과 결정에 대해 책임져야 한다는 것을 의미합니다. 여기에는 실수와 오류의 가능성을 염두에 두고 AI 시스템을 설계하고, 이러한 실수를 바로잡고 피해를 예방할 수 있는 프로세스를 마련하는 것이 포함됩니다. 어린이는 자기 행동에 책임을 지는 것의 중요성과 디지털 세계에서 자기 행동이 초래할 수 있는 잠재적 결과에 대해 배워야 합니다.

투명성 또한 AI 윤리의 핵심 개념입니다. 투명성은 AI 시스템이 사용자에게 투명한 방식으로 설계되고 사용되어야 한다는 개념을 말합니다. 여기에는 시스템 작동 방식과 의사 결정 방식에 대한 정보를 제공하고 사용자가 기술의 잠재적 위험과 한계를 이해할 수 있도록 하는 것이 포함됩니다. 투명성에 대해 가르치면 어린이가

정보에 입각한 책임감 있는 디지털 시민이 되어 자신이 사용하는
기술에 대해 정보에 입각한 결정을 내릴 수 있습니다.

3. AI 오용의 실제 사례와 사회에 미치는 영향

 AI는 세상을 더 나은 곳으로 변화시킬 수 있는 엄청난 잠재력을
가지고 있지만, 다른 강력한 기술과 마찬가지로 오용될 수도
있습니다.

우려되는 분야 중 하나는 편향된 알고리즘입니다. AI 시스템은
학습된 데이터만큼만 성능이 향상됩니다. 때문에 데이터가 편향되어
있으면 AI 시스템도 편향될 수 있습니다. 해당 데이터에 편견이
포함되어 있으면 알고리즘에 의해 편견이 증폭될 수 있습니다.

예를 들어, 2018년에 아마존(Amazon)은 여성에 대한 편견으로 인해
AI 채용 도구를 폐기해야 했습니다. 이 알고리즘은 10년 동안 회사에
제출된 이력서를 학습했는데, 이 이력서는 남성에게 크게 치우쳐
있었습니다. 그 결과 알고리즘은 남성 지원자를 선호하고 "여성"
또는 "여성"과 같은 단어가 포함된 이력서에 불이익을 주는 방법을
학습했습니다. 이러한 편견은 특히 채용이나 대출 결정과 같은
영역에서 차별을 지속시킬 수 있는 심각한 결과를 초래할 수
있습니다.

AI 오용의 또 다른 예로 딥페이크(Deepfake-AI를 기반으로 활용한 인간 이미지 합성 기술)가 있는데, 딥페이크는 AI를 사용하여 실제처럼 보이도록 조작되었지만 실제로는 완전히 가짜인 동영상 또는 이미지입니다. 딥페이크는 가짜 뉴스를 만들고, 잘못된 정보를 퍼뜨리고, 심지어 개인을 협박하는 등 악의적인 목적으로 사용되어 왔습니다. 예를 들어, 2019년에는 딥페이크의 위험성을 알리기 위해 페이스북 CEO 마크 저커버그의 딥페이크 동영상이 제작되었습니다. 이 영상에서 저커버그는 사용자의 데이터를 통제하고 비밀을 훔쳤다는 사실을 인정하는 듯한 모습을 보였습니다. 이 영상은 나중에 가짜로 밝혀졌지만, 여전히 딥페이크가 사람들을 속이고 피해를 줄 수 있는 잠재력을 강조하고 있습니다.

또 다른 예는 감시 분야에 AI를 사용하는 것입니다. 범죄 용의자를 식별하거나 교통 흐름을 모니터링하는 등 감시 분야에서 AI를 합법적으로 사용하는 경우도 있지만, 안면 인식 기술이 광범위하게 사용되면서 프라이버시와 시민의 자유에 대한 우려가 제기되고 있습니다. 예를 들어, 아시아의 한 나라는 AI 기반 얼굴 인식을 사용하여 시민의 움직임, 소셜 미디어 활동, 심지어 감정까지 모니터링하고 추적하고 있습니다. 이러한 수준의 감시는 개인정보 보호와 남용 가능성에 대한 심각한 의문을 제기합니다.

이러한 사례들은 AI가 다양한 방식으로 오용될 수 있으며 그 결과가 심각할 수 있음을 보여줍니다. 이러한 잠재적인 윤리적 문제에 대해 아이들에게 가르쳐서 책임감 있게 AI를 사용하고 정보에 입각한 결정을 내리는 것의 중요성을 이해할 수 있도록 하는 것이 중요합니다.

4. 윤리적 의사 결정, 이렇게 가르쳐 보세요

아이들에게 기술(Technology) 사용 시 윤리적 의사결정에 대해 가르치는 것은 중요한 일입니다. 다음은 자녀가 책임감 있게 기술을 사용하도록 지도하는 데 사용할 수 있는 몇 가지 전략입니다.

1) 일찍 시작하세요: 어릴 때부터 아이들에게 윤리와 책임감 있는 기술(Technology) 사용에 대해 가르치는 것이 중요합니다. 자녀가 기술(Technology)을 사용하기 시작하자마자 부모는 책임감 있는 사용과 자녀의 행동이 다른 사람에게 미칠 수 있는 영향에 관해 이야기해야 합니다.

2) 실제 시나리오를 활용하세요: 기술(Technology) 및 AI 사용과 관련된 실제 상황에 대한 토론에 자녀를 참여시키세요. 이를 통해 아이들은 윤리적 의사 결정의 복잡성과 어려운 상황을 헤쳐 나가는 방법을 이해하는 데 도움을 받을 수 있습니다.

다음은 몇 가지 예입니다:

a) 공정성: 특정 인종이나 성별의 지원자를 불균형적으로 거부하는 채용 프로세스에 얼굴 인식 시스템이 사용된다고 상상해 보세요. 이는 불공정한 것으로 간주할 수 있습니다.

b) 책임: 자율주행 차량이 치명적인 사고를 일으켰다면 제조업체, 소프트웨어 개발자, 차량 사용자 중 누구에게 책임이 있는지에 대한 의문이 제기될 수 있습니다.

c) 투명성: AI 기반 대출 승인 시스템을 사용하는 은행은 고객이 자신의 신청이 승인 또는 거부된 이유를 알 수 있도록 결정에 영향을 미친 요소에 대해 투명하게 공개해야 합니다.

d) 개인정보 보호: 스마트 홈 어시스턴트가 사용자의 동의 없이 대화를 녹음하고 분석하는 것은 개인정보 침해에 해당합니다.

자녀에게 윤리적 의사 결정에 대해 가르치는 것과 관련해서는 다음과 같은 예도 있습니다:

자녀가 더 나은 경험을 위해 추가 구매를 추천하는 게임을 하고 있다고 가정해 보겠습니다. 부모는 자녀에게 구매가 예산에 미치는 영향과 지속적인 지출에 의존하는 게임을 하는 것이 윤리적 의미에 어떤 영향을 미치는지 생각해 볼 수 있게 합니다. 결정의 장단점에 관해 토론함으로써 자녀는 기술(Technology) 사용 시 윤리적 선택을 하는 방법을 배울 수 있습니다.

3) 비판적 사고를 장려하세요: 자녀가 받는 정보와 정보를 얻는 출처에 대해 비판적으로 생각하도록 장려하세요. 정보의 신뢰성과 다른 사람과 정보를 공유할 때 발생할 수 있는 잠재적 영향을 평가하는 방법을 가르치세요.

4) 공감 연습: 자녀가 자기 행동이 다른 사람에게 미치는 영향을 이해하도록 도와주세요. 다른 사람의 감정을 고려하고 자기 행동이 다른 사람에게 어떤 영향을 미칠 수 있는지 생각하도록 격려하세요.

5) 책임감 있는 행동의 본보기: 부모로서 스스로 책임감 있는 행동의 모범을 보여야 합니다. 아이들에게 윤리적이고 책임감 있게 기술을 사용하는 방법을 보여주고, 우리가 기술을 사용할 때 특정 선택을 하는 이유를 설명해야 합니다.

이러한 전략을 시행함으로써 부모는 자녀가 책임감 있고 윤리적인 방식으로 AI를 위해 필요한 기술과 지식을 개발하도록 도울 수 있습니다. 이는 어린이 자신에게도 도움이 될 뿐만 아니라 모두에게 더 긍정적이고 공평한 미래를 만드는 데 기여할 것입니다.

5. 책임감 있는 AI 사용을 안내하는 부모의 역할

자녀가 책임감 있고 윤리적으로 AI를 사용하도록 지도하는 데 있어 부모의 역할은 중요합니다. 때문에 부모가 책임감 있는 AI 사용을 장려할 수 있는 주요 방법의 하나는 스스로 윤리적 행동을 모델링하는 것입니다. 이는 책임감 있게 기술을 사용하고 개인정보 보호, 투명성, 책임감을 존중하는 모습을 보여주는 것을 의미합니다.

또한 부모는 자녀가 AI의 윤리적 의미에 대해 질문하고 이러한 문제에 대해 열린 토론을 하도록 장려할 수 있습니다. 기술이 가치 중립적이지 않으며, AI를 개발하고 사용할 때 우리가 내리는 선택이 중대한 윤리적 결과를 초래할 수 있다는 점을 아이들이 이해하도록 돕는 것이 중요합니다.

또 컴퓨터 과학 및 기술 수업에 AI 윤리 수업을 통합하는 등 어린이들에게 AI의 사회적, 윤리적 영향에 대해 배울 기회를 제공하는 것입니다. 이를 통해 어린이는 비판적 사고력과 AI와 관련된 윤리적 딜레마를 분석할 수 있는 능력을 키울 수 있습니다.

부모는 책임감 있는 AI 사용 문화를 조성하기 위해 함께 노력할 수 있습니다. 여기에는 기술(Technology) 사용에 대한 명확한 규칙과 지침을 수립하고, 자녀가 자기 행동이 다른 사람에게 미치는 영향을 고려하도록 장려하며, 사회 전체에 도움이 되는 긍정적인 AI 사용을 장려하는 것이 포함될 수 있습니다. 부모는 자녀가 책임감 있고 윤리적으로 AI를 사용하도록 지도하는 데 적극적인 역할을 함으로써

이 강력한 기술이 세상에 선한 영향력을 발휘할 수 있도록 도울 수
있습니다.

제6장
전문 용어 풀이: AI 교육
초보자 가이드

1. 초보자에게 위협적으로 느껴지는 AI

 인공지능(AI)은 복잡하고 빠르게 진화하는 분야로 초보자에게는 어렵게 느껴질 수 있습니다. 기술 용어와 개념의 양이 너무 많아 압도적일 수 있으며, 컴퓨터 과학과 통계에 대한 탄탄한 배경지식이 없으면 AI의 실제 적용을 이해하기 어려울 수 있습니다. 또한 편향성 및 개인 정보 보호 문제와 같은 AI의 윤리적 영향에 대한 우려도 있어 이해를 더욱 복잡하게 만들 수 있습니다. AI는 전문가와 학계의 영역이기 때문에 일반인이 접근하기 어렵다는 인식도 두려움의 요인으로 작용할 수 있습니다. 하지만 시간이 지날수록 AI가 일상생활에 더욱 통합됨에 따라 모든 사람이 AI의 작동 방식과 잠재적 영향에 대한 기본적인 이해를 갖는 것이 점점 더 중요해지고 있습니다.

이러한 어려움에도 불구하고 초보자가 AI 교육의 세계를 탐색하는 데 도움이 되는 많은 리소스가 있습니다. 올바른 안내와 접근 방식만 있다면 AI는 흥미롭고 보람 있는 탐구 분야가 될 수 있습니다.

2. 이제 AI의 주요 개념을 알아봐요

다음은 가장 중요한 몇 가지 개념에 대한 간략한 설명입니다:

1) 인공 지능(Artificial intelligence :AI)은 이미지 인식, 언어 이해, 의사 결정 등 일반적으로 인간의 지능이 필요한 작업을 기계가 수행할 수 있는 능력을 말합니다.

2) 머신 러닝(Machine learning)은 명시적으로 프로그래밍하지 않아도 기계가 데이터를 통해 학습하고 시간이 지남에 따라 성능을 개선할 수 있도록 하는 AI의 한 유형입니다. 여기에는 대규모 데이터 세트에서 패턴을 식별하고 이를 사용하여 예측이나 결정을 내릴 수 있는 알고리즘을 사용하는 것이 포함됩니다.

3) 딥러닝(Deep learning)은 인간 두뇌의 구조와 기능에서 영감을 얻은 인공 신경망을 사용하는 특정 유형의 머신러닝입니다. 이미지 및 음성 인식과 같은 작업에 특히 유용합니다.

4) 신경망(Neural network)은 패턴을 인식하도록 설계된 일련의 알고리즘입니다. 신경망은 인간의 뇌를 모델로 하며, 정보를 처리하고 예측을 수행하는 상호 연결된 노드(node, 연결점 같은) 계층으로 구성됩니다.

AI의 다른 주요 개념으로 자연어 처리(Natural language processing -NLP), 컴퓨터 비전(Computer vision), 강화 학습(Reinforcement learning), 로보틱스(Robotics) 등이 있고 간략하게 설명하면 다음과 같습니다.

1) 자연어 처리(Natural language processing -NLP)는 컴퓨터와 인간 언어 간의 상호 작용에 초점을 맞춘 AI의 하위 분야입니다. 여기에는 컴퓨터가 문어와 구어 모두에서 인간의 언어를 이해하고 해석하며 생성하도록 가르치는 것이 포함됩니다.

2) 컴퓨터 비전(Computer vision)은 컴퓨터가 우리 주변 세계의 시각적 데이터를 해석하고 이해하도록 가르치는 AI의 한 분야입니다. 컴퓨터 비전은 알고리즘과 딥러닝 모델을 사용하여 컴퓨터가 이미지를 인식 및 분류하고, 물체와 패턴을 식별하고, 심지어 얼굴 표정과 감정까지 이해할 수 있도록 도와줍니다.

3) 강화 학습(Reinforcement learning)은 행동을 취하고 보상이나 벌칙의 형태로 피드백을 받음으로써 알고리즘이 환경을 통해 학습하도록 가르치는 머신 러닝의 한 유형입니다. 알고리즘은 시행착오를 통해 학습하여 받은 피드백에 따라 행동을 조정함으로써 보상을 극대화합니다.

4) 로봇 공학(Robotics)은 실제 세계에서 작업을 수행하기 위한 로봇의 설계, 제작 및 작동을 포함합니다. 로보틱스는 기계, 전기, 컴퓨터 공학을 비롯한 여러 공학 분야와 AI 및 머신러닝을 결합하여

제조부터 우주 탐사, 의료에 이르기까지 다양한 작업을 수행할 수 있는 지능형 로봇을 만듭니다.

 이러한 개념을 이해하면 초보자도 AI의 작동 방식과 다양한 산업에서의 잠재적 응용에 대해 더 잘 이해할 수 있습니다.

3. AI 애플리케이션과 실제 영향력

1) 개인 비서: 시리(Siri), 알렉사(Alexa)와 같은 AI 기반 개인 비서가 점점 더 인기를 얻고 있습니다. 이러한 비서는 미리 알림 설정, 질문에 대한 답변부터 스마트 홈 기기 제어에 이르기까지 다양한 작업을 도와줍니다.

2) 이미지 인식: AI 기반 이미지 인식은 소셜 미디어, 보안 시스템, 의료 영상 등 다양한 애플리케이션에서 사용됩니다. 예를 들어, 이미지 인식은 의사가 의료 이미지에서 잠재적인 건강 문제를 식별하는 데 도움을 주거나 보안 시스템에서 감시 영상에서 사람을 감지하고 추적하는 데 사용할 수 있습니다.

3) 언어 번역: AI 기반 언어 번역은 사람들이 서로 다른 언어로 의사소통하는 데 사용됩니다. 예를 들어 Google 번역은 기계 학습을 사용해서 한 언어에서 다른 언어로 텍스트를 자동으로 번역합니다.

4) 사기 탐지: 금융 기관에서는 신용 카드 사기와 같은 사기 행위를 식별하고 예방하기 위해 AI 기반 사기 탐지 기능을 사용합니다. AI 알고리즘은 패턴을 분석하고 비정상적인 행동을 감지하여 잠재적인 사기 사례를 표시할 수 있습니다.

5) 자율주행 차량: 자율주행차와 같은 AI 기반 자율 주행 차량이 점점 더 보편화되고 있습니다. 이러한 차량은 머신러닝 알고리즘을 사용하여 정지, 회전, 차선 변경 등의 결정을 내립니다.

AI 애플리케이션의 영향력은 상당하고 광범위합니다. 예를 들어, 개인 비서는 엄마들이 바쁜 일정과 집안일을 더욱 효율적으로 관리할 수 있도록 도와주며, 이미지 인식 및 사기 탐지 기능은 보안과 안전을 향상시킬 수 있습니다. 언어 번역은 전 세계 여러 지역의 사람들을 연결하는 데 도움이 될 수 있으며, 자율주행차는 교통수단을 혁신하고 사고를 줄일 수 있는 잠재력을 가지고 있습니다.

4. AI에서 자주 사용되는 용어를 알아봐요

다음은 몇 가지는 일반적인 용어에 대한 설명입니다:

1) 학습 데이터(Training data): 예측 또는 분류를 위해 머신 러닝 알고리즘을 학습시키는 데 사용되는 데이터입니다. 학습 데이터의 품질과 양은 모델의 정확성과 효율성에 결정적인 영향을 미칩니다.

2) 편향성(Bias): AI에서 편향성이란 불공정하거나 부정확한 예측 또는 결정으로 이어질 수 있는 데이터 또는 알고리즘의 체계적 오류를 의미합니다. 예를 들어, 백인 얼굴의 제한된 데이터 세트에 대해서만 학습된 얼굴 인식 알고리즘은 다른 인종의 사람들에게는 정확하지 않을 수 있습니다.

3) 정확도(Accuracy): AI 모델이 얼마나 정확하게 예측하거나 분류할 수 있는지를 나타내는 척도입니다. 정확도는 일반적으로 백분율로 표시되며 올바른 예측 수를 총예측 수로 나눈 값을 기준으로 합니다.

4) 과적합(Overfitting): 과적합은 머신 러닝 모델이 너무 복잡하여 보이지 않는 새로운 데이터에 일반화하지 않고 학습 데이터에 밀접하게 맞출 때 발생합니다. 즉, 모델이 새로운 데이터에 대해 정확한 예측을 할 수 있는 기본 패턴을 학습하는 대신 학습 데이터를 암기하고 있다는 뜻입니다.

과적합을 이해하기 위해 맞춤법 시험을 위해 긴 단어 목록을 외웠지만 그 뒤에 있는 맞춤법 규칙을 실제로 이해하지 못하는 어린이를 상상해 보세요. 이 아이는 시험을 잘 볼 수도 있지만, 이전에 본 적이 없는 새로운 단어에 대해서는 어려움을 겪을 가능성이 높습니다. 마찬가지로, 과적합 머신러닝 모델은 학습 데이터에 대해서는 잘 수행할 수 있지만 이전에 본 적이 없는 새로운 데이터에 대해서는 정확한 예측을 내리는 데 어려움을 겪을 수 있습니다.

과적합은 머신 러닝에서 흔히 발생하는 문제이며, 더 많은 학습 데이터를 사용하거나 모델을 단순화하거나 정규화 기법을 추가하는 등 이를 방지할 수 있는 기법이 있습니다.

5) 과소적합(Underfitting): 과적합과 반대되는 개념인 과소적합은 머신러닝에서 사용되는 용어로, 모델이 너무 단순해서 데이터를 잘 학습할 수 없는 상황을 설명하는 용어입니다. 아이에게 숫자 세는 법을 가르치려고 한다고 상상해 보세요. 숫자 1, 2, 3만 보여준 다음 10까지 세라고 하면 아이는 정보가 충분하지 않아서 세지 못할 것입니다. 이는 머신 러닝에서 모델이 너무 단순해서 데이터로부터 학습할 수 없는 과소 적합과 유사합니다. 과소 적합을 방지하려면 모델이 데이터의 모든 중요한 정보를 포착할 수 있을 만큼 아주 복잡한지 확인해야 합니다.

6) 알고리즘(Algorithm): 컴퓨터 또는 머신러닝 모델에 특정 작업을 수행하는 방법을 알려주는 일련의 지침입니다. AI에서 알고리즘은 입력 데이터를 기반으로 예측 또는 의사 결정을 내리는 데 사용됩니다.

7) 신경망(Neural network): 인간 두뇌의 구조에서 영감을 얻은 머신 러닝 모델의 한 유형입니다. 신경망은 이미지 및 음성 인식, 자연어 처리, 예측 분석과 같은 작업에 사용됩니다.

위의 것들은 AI 분야에서 사용되는 많은 용어 중 몇 가지 예에 불과합니다. 이러한 용어를 이해하면 초보자도 AI의 작동 방식과 잠재적 응용 분야를 더 잘 이해할 수 있습니다.

5. 추가 학습 및 탐색을 위한 리소스

 이제 AI 개념, 애플리케이션, 용어에 대한 기본적인 이해를 마쳤으니 더 깊이 탐구하고 지식을 심화시키고 싶을 것입니다. 다행히도 온라인 강좌, 튜토리얼, 블로그, 서적 등 AI에 대해 배울 수 있는 많은 리소스가 있습니다.

1) 온라인 강좌:

많은 유명 대학과 단체에서 AI에 관한 무료 온라인 강좌를 제공합니다. 이러한 과정은 다양한 주제를 다루며 초급 및 고급 학습자에게 적합합니다. 온라인 강좌를 위한 인기 있는 플랫폼으로는 Coursera, edX, Udacity가 있습니다. 이러한 플랫폼은 머신 러닝, 딥러닝, 컴퓨터 비전, 자연어 처리 등 다양한 AI 주제에 대한 강좌를 제공합니다.

한국어로 제공되는 AI 관련 무료 온라인 강좌를 소개합니다.

a) 카이스트- 모두를 위한 AI: AI와 머신러닝의 기초를 다루는 초급 수준의 강좌입니다. 이 강좌는 한국어로 제공되며 Coursera 플랫폼에서 수강할 수 있습니다.

b) 한국과학기술원(KAIST)- 딥 러닝: 신경망, 합성곱 신경망, 순환 신경망 등의 주제를 다루는 딥 러닝 고급 과정입니다. 이 강좌는 한국어로 제공되며 Coursera 플랫폼에서도 제공됩니다.

c) 한국정보화진흥원(NIA)- AI 마스터 플랜: AI 기술, 응용 분야 및 사회에 미치는 영향에 대한 개요를 제공하는 과정입니다. 이 과정은 한국어로 제공되며 NIA 웹사이트에서 제공됩니다.

d) 네이버- 부스트캠프 AI 테크: AI와 머신러닝의 기초부터 자연어 처리, 컴퓨터 비전과 같은 고급 주제까지 다루는 종합적인 과정입니다. 이 과정은 한국어로 제공되며 부스트캠프 AI 테크 웹사이트에서 확인할 수 있습니다.

e) 고려대학교- 의학을 위한 AI: 의료 영상, 신약 개발, 질병 진단 등 의학 분야에서 AI의 응용 분야를 다루는 강좌입니다. 이 과정은 한국어로 제공되며 edX 플랫폼에서 이용할 수 있습니다.

그 외에도 다양한 강좌가 있으므로 다양한 플랫폼과 대학을 탐색하여 자신의 특정 관심사와 필요에 맞는 강좌를 찾아보는 것이 좋습니다. 온라인 강좌들은 수시로 생겼다가 없어지기도 합니다. 컴퓨터 검색엔진을 사용하면 필요한 정보를 어렵지 않게 찾을 수 있습니다.

2) 튜토리얼(Tutorials):

튜토리얼(Tutorials, 자습서)은 사람들이 새로운 기술이나 새로운 도구 또는 소프트웨어 사용법을 배울 수 있도록 고안된 교육 리소스입니다. 튜토리얼은 일반적으로 특정 작업을 완료하거나 특정 문제를 해결하는 방법에 대한 명확하고 간결한 지침을 제공하는 단계별 안내서입니다.

예를 들어 스웨터 뜨는 법을 배우고 싶다고 가정해 보겠습니다. 온라인에서 뜨개질 과정을 단계별로 안내하는 뜨개질 튜토리얼을 검색할 수 있습니다. 튜토리얼에는 스웨터가 완성될 때까지 캐스팅, 뜨기, 안뜨기, 안뜨기하다 등의 방법을 설명하는 서면 지침, 다이어그램 또는 동영상이 포함될 수 있습니다.

튜토리얼은 텍스트 기반 문서, 동영상 가이드, 대화형 튜토리얼 등 다양한 형식으로 제공됩니다. 튜토리얼은 해당 주제에 대해 깊이 이해하고 학습자의 성공에 도움이 되는 귀중한 인사이트와 팁을 제공할 수 있는 해당 분야의 전문가가 제작하는 경우가 많습니다. 튜토리얼은 새로운 기술을 배우거나 기존 기술을 향상시키는 좋은 방법이 될 수 있으며, 자신의 속도에 맞춰 학습하는 것을 선호하거나 기존 수업이나 워크샵에 참석할 수 없는 사람들에게 특히 유용할 수 있습니다.

튜토리얼(Tutorials)은 AI와 관련된 실용적인 기술을 배울 수 있는 좋은 방법입니다. 다양한 AI 기술 및 도구에 대한 튜토리얼을 제공하는 온라인 리소스가 많이 있습니다. 예를 들어, 데이터 과학 경진대회 플랫폼인 Kaggle은 머신 러닝 및 데이터 분석에 대한 다양한 튜토리얼을 제공합니다. 오픈 소스 머신 러닝 플랫폼인 텐서플로우(TensorFlow)는 딥 러닝에 대한 다양한 튜토리얼을 제공합니다.

온라인에는 한국어로 된 튜토리얼을 찾을 수 있는 많은 자료가 있습니다. 다음은 몇 가지 예시입니다:

a) 네이버 D2(Naver D2) - 네이버 D2는 개발자 및 엔지니어를 위한 온라인 커뮤니티로, 소프트웨어 개발 및 기술과 관련된 다양한 주제에 대한 다양한 튜토리얼과 가이드를 제공합니다. 대부분의 튜토리얼은 한국어로 제공되며 웹 개발, 머신러닝, 데이터 분석 등의 주제를 다룹니다.

b) 에드위드(Edwith) - 에드위드는 한국어로 된 다양한 강좌와 튜토리얼을 제공하는 온라인 학습 플랫폼입니다. 이 플랫폼은 프로그래밍, 데이터 과학, 비즈니스 등 다양한 주제를 다룹니다.

c) 코세라(Coursera) - 코세라는 유명 대학 및 단체와 제휴하여 다양한 주제에 대한 강좌와 튜토리얼을 제공하는 인기 있는 온라인 학습 플랫폼입니다. 모든 강좌가 한국어로 제공되는 것은 아니지만, 머신 러닝, 데이터 과학, 프로그래밍 등의 주제를 다루는 강좌가 많습니다.

d) 유튜브 - 유튜브는 다양한 주제에 대한 튜토리얼을 찾을 수 있는 훌륭한 리소스입니다. 많은 전문가와 전문가들이 YouTube에서 동영상을 제작하여 지식을 공유하고 다양한 주제에 대한 단계별 안내를 제공합니다.

e) 깃허브(GitHub) - 깃허브는 소프트웨어 개발 및 프로그래밍에 관한 다양한 튜토리얼과 리소스를 제공하는 코드 호스팅 플랫폼입니다. 많은 리소스가 한국어로 제공되며 웹 개발, 머신 러닝 등의 주제를 다룹니다.

이 외에도 조금만 검색하면 관심 있는 거의 모든 주제에 대한 튜토리얼을 찾을 수 있습니다.

3) 블로그 및 뉴스레터:

블로그와 뉴스레터는 AI의 최신 개발 동향을 파악할 수 있는 좋은 방법입니다. AI 뉴스, 연구 및 애플리케이션을 다루는 블로그와 뉴스레터가 많이 있습니다. 인기 있는 블로그로는 AI 트렌드, AI

비즈니스, 테크크런치 등이 있습니다. AI 뉴스레터 및 알고리즘과 같은 뉴스레터에서는 AI 뉴스와 동향에 대한 주간 업데이트를 제공합니다.

4) 도서:

AI 관련 서적은 다양하게 많이 있습니다

a) 리처드 S. 슈말츠 저자의 "인공지능 혁명"- 인공지능 혁명이 어떻게 시작되었으며, 현재의 인공지능 기술이 어떤 방향으로 진화하고 있는지를 설명하는 책입니다.

b)이해진, 김성환 저자의 "AI와 플랫폼 경제" - 인공지능과 플랫폼 경제가 연결되어 어떤 변화가 일어나고 있는지, 그리고 이에 대한 대응 방안을 제시하는 책입니다.

c) 정진영, 조승현 저자의 "인공지능과 빅데이터" - 인공지능과 빅데이터가 어떻게 상호작용하며, 어떤 분야에서 활용되고 있는지를 다루는 책입니다.

d) Kai-Fu Lee 저자의 "AI 슈퍼파워"<원서: "AI Superpowers: China, Silicon Valley, and the New World Order"> - 중국과 미국 실리콘밸리에서의 인공지능 기술 경쟁과 이에 따른 대세 변화, 그리고 이에 대한 전망을 다루는 책입니다.

e) 송태민 저자의 'ChatGPT 마스터 기술'-이 책은AI 언어 모델인 ChatGPT에 대한 포괄적인 가이드를 제공합니다. ChatGPT 시작부터 감정 감지 및 감정 분석과 같은 고급 기능에 이르기까지 모든 것을 다루고 ChatGPT가 사회에 미치는 잠재적 영향을 탐구합니다.

5) AI 커뮤니티 및 미팅:

AI 커뮤니티에 가입하고 미팅에 참석하는 것은 다른 AI 애호가들과 교류하고 그들의 경험에서 배울 수 있는 좋은 방법입니다. 다양한 수준의 AI 전문 지식을 제공하는 온라인 및 오프라인 커뮤니티와 미팅이 많이 있습니다.

AI는 빠르게 성장하는 분야이며 이에 대해 더 많이 배우고 싶어 하는 엄마들이 이용할 수 있는 많은 리소스가 있습니다. 온라인 강좌, 튜토리얼, 블로그, 서적, 커뮤니티 등 어떤 것을 선호하든 모두를 위한 무언가가 있습니다. AI에 대해 지속해 학습하면 최신 개발 동향과 기회에 대한 정보를 얻고 AI가 가족과 커뮤니티에 어떤 혜택을 줄 수 있는지에 대해 정보에 입각한 결정을 내릴 수 있습니다.

제7장
AI에 대한 긍정적인 영향력 발견

1. AI 대한 엄마로서의 불안과 염려

 엄마로서 AI에 대해 뉴스, SNS 등 여러 채널을 통해서 많이
들어봤지만, 그것이 정확히 무엇인지, 어떻게 작동하는지 잘
몰랐습니다. 다만 인공지능이 미래에 일자리를 빼앗고 사생활을
침해하며 우리 모두를 기술에 의존하게 만들지 않을까 걱정만
했습니다. AI의 중요성은 알지만 이에 대한 오해와 두려움이 많았고
신뢰할 수 있는 정보를 어디서 찾아야 할지 몰랐습니다. 하지만
막연한 두려움을 갖기보다는 AI에 대해 적극적으로 알아가기로
결심했습니다. 조금씩 알아갈수록 AI의 긍정적인 영향력이 크게
보이면서 AI에 대해 새로운 시각이 생겨났습니다. 저는 더 이상 AI를
두려워하거나 걱정해야 할 대상으로 생각하지 않습니다. 오히려
적극적으로 배워서 더 큰 이익을 위해 활용할 수 있는 대상으로
생각하게 되었습니다.

2. AI에 대한 오해, 사실일까?

가끔 AI에 대해 잘 모르는 분들이 몇 가지 오해들을 가지고 있는 것을 볼 때가 있습니다. 이를테면 AI는 기술 전문가들만 사용할 수 있고, 주로 사람을 감시하거나 사람의 일자리를 대체하는 등 악의적인 목적으로 사용된다고 생각하는 것입니다. 하지만 AI에 대해 더 많이 배우기 시작하면 이러한 생각 중 상당수가 사실이 아니라는 것을 알게 될 것입니다.

AI를 잘 모르는 사람들이 흔히 오해하는 것 중 하나는 AI가 알고리즘과 수학 방정식만을 기반으로 한다는 것이었습니다. 그래서 공감과 이해에 필요한 인간적인 감성이 부족하고 차갑고 비인간적이라고 생각합니다. 하지만 AI에 대해 배우면 AI가 실제로 인간의 이해와 의사 결정을 향상할 수 있는 방식으로 대량의 데이터를 처리하고 분석할 수 있다는 것을 알게 됩니다.

또 다른 오해는 AI가 인간의 일자리를 대체하여 대량 실업을 초래하리라는 것입니다. 일부 업무가 자동화될 수 있는 것은 사실이지만, AI는 데이터 분석 및 AI 개발과 같은 분야에서 새로운 일자리를 창출할 수도 있습니다. 또한 AI는 기존 일자리를 더 안전하고 효율적이며 생산적으로 만들어 직원들이 더 창의적이고 성취감 있는 업무에 집중할 수 있도록 도울 수 있습니다.

막연하게 알기보다는 AI에 대해서 구체적으로 배우면 이러한 일반적인 오해를 극복할 수 있고 AI가 우리 세상에 긍정적인 영향을 미칠 수 있는 잠재력이 있다는 것을 발견하게 될 것입니다. 또한 AI에 대한 두려움 대신 인간의 지능을 향상하고 새로운 기회를 창출하는 AI의 능력에 더 이끌리게 될 것입니다.

3. AI의 긍정적인 영향력을 발견해 봐요

AI에 대해 더 깊이 알아가면 긍정적인 영향을 미칠 수 있는 놀라운 잠재력을 발견할 수 있습니다. AI가 의료 서비스를 개선하고, 재난 대응을 지원하고, 심지어 기후 변화에 대처하는 데 어떻게 사용되고 있는지 알 수 있습니다. 예를 들어, AI 알고리즘을 사용하여 의료 이미지를 분석하고 의사가 잠재적인 건강 문제를 더 빠르고 정확하게 식별할 수 있도록 도울 수 있습니다. 재난 대응 상황에서는 AI를 사용하여 데이터를 신속하게 분석하고 가장 즉각적인 지원이 필요한 영역을 식별할 수 있습니다. 또한 기후 변화에 대응할 때 AI를 사용하여 에너지 사용을 최적화하고 폐기물을 줄일 수 있습니다.

또한 장애인을 도울 수 있는 AI의 잠재력에 대해서도 알 수 있습니다. 예를 들어, AI 기반 음성 인식 기술은 언어 장애가 있는 사람들이 더 쉽게 의사소통할 수 있도록 돕고, 컴퓨터 비전 기술은 시각 장애가 있는 사람들이 주변 세상을 더 잘 탐색하도록 도울 수 있습니다.

또한, AI는 기업이 운영을 개선하고 정보에 입각한 의사 결정을 내리는 데 어떻게 도움이 될 수 있는지도 알 수 있습니다. AI 알고리즘은 방대한 양의 데이터를 분석하여 인간이 놓칠 수 있는 패턴과 인사이트를 파악함으로써 기업이 더욱 정확한 예측을 하고 효율성을 개선할 수 있도록 지원합니다. 이를 통해 시간과 비용을 절약하는 동시에 고객 경험을 개선할 수 있습니다.

이제 AI는 단순히 자동화를 위한 도구나 인간 노동자를 대체하는 도구가 아니라 다양한 방식으로 우리의 삶을 개선할 수 있는 잠재력을 가진 기술입니다.

4. AI로 삶과 관계를 더 풍요롭게 만들어 봐요

AI는 단순히 비즈니스와 과학을 위한 도구가 아니라 우리의 일상과 관계에도 영향을 미칠 수 있는 잠재력을 가지고 있습니다. AI가 일상적인 문제를 해결하고 더 나은 삶을 살 수 있도록 도울 수 있습니다.

예를 들어, 알림 설정, 약속 예약, 심지어 식료품 주문과 같은 작업을 도와줄 수 있는 Siri와 Alexa와 같은 AI 기반 개인 비서가 있습니다.

또한 AI가 개인 맞춤형 의료 계획을 개발하고 의료 진단을 개선하는 데 사용될 수 있습니다.

뿐만 아니라 AI는 인간관계를 지원하고 향상합니다. 다양한 문화와 배경을 가진 사람들과 소통하는 데 도움을 줄 수 있는 AI 기반 언어 번역 소프트웨어가 있습니다. 이를 통해 이전에는 소통할 수 없었던 사람들과 소통하고 의미 있는 관계를 구축하는 데 도움이 될 수 있습니다.

또한 AI는 우리 자신과 사랑하는 사람들에 대해 더 많이 알아가는 데에도 도움이 될 수 있습니다. 예를 들어, 기분과 감정을 추적하고 분석하는 데 도움이 되는 AI 기반 앱이 있어 우리 자신과 우리의 행동을 이해하는 데 도움이 될 수 있습니다. 이러한 지식은 사랑하는 사람들과도 공유할 수 있어 더 깊고 의미 있는 대화와 관계로 이어질 수 있습니다.

5. AI와 함께하는 미래의 희망

 AI에 대해 더 많이 배우면서 저는 AI가 미래에 가져올 엄청난 잠재력을 발견하고 있습니다. 그것은 단순히 인간보다 더 효율적으로 작업을 수행할 수 있는 로봇이나 기계를 만드는 것이 아니라, 더 나은 의사결정을 내리고 삶을 개선하는 데 도움이 될 수 있는 AI 시스템을 개발하는 것입니다.

AI가 큰 영향을 미칠 수 있는 분야 중 하나는 의료 분야입니다. AI 기반 시스템은 대량의 의료 데이터를 분석하여 잠재적인 진단 및 치료 계획을 파악할 수 있습니다. 이를 통해 더욱 정확하고 개인화된 의료 서비스를 제공할 수 있을 뿐만 아니라 질병을 더욱 빠르고 효율적으로 진단할 수 있습니다. 마찬가지로 AI는 대규모 데이터 세트를 분석하고 사람이 즉시 알아차리지 못할 수 있는 패턴을 식별함으로써 과학 연구에도 도움을 줄 수 있습니다.

AI가 유용하게 활용될 수 있는 또 다른 분야는 교육 분야입니다. AI는 학생의 강점과 약점에 맞춰 학습 경험을 개인화하고 잠재력을 최대한 발휘할 수 있도록 도와줄 수 있습니다. 또한 교육자가 학생이 어려움을 겪고 있는 영역을 파악하고 추가 지원과 리소스를 제공하는 데 도움이 될 수 있습니다.

또한, AI는 기후 변화와 에너지 지속 가능성 등 지구가 직면한 가장 중요한 과제를 해결하는 데 사용될 수 있습니다. AI는 데이터를 분석하고 에너지 사용을 최적화하여 낭비를 줄이고 효율성을 개선하는 데 도움을 줄 수 있습니다. 또한 자연재해를 예측하고 그 영향을 완화하여 잠재적으로 수많은 생명을 구하는 데 도움이 될 수 있습니다.

AI에 대해 해결해야 할 우려와 과제가 분명히 존재하지만, 그래도 앞으로 AI가 우리 삶과 세상에 좋은 영향을 가져다줄 거로로 생각합니다. 때문에 AI에 대해 지속해 학습하고 참여함으로써 우리 모두에게 도움이 되는 미래를 만들어 가길 바랍니다.

제8장
AI에 한 걸음 더 가까이 : 비전문가 인 부모를 위한 리소스

1. 부모를 위한 AI 교육의 중요성

처음에는 AI에 대해 주저했던 사람으로서 저는 이 주제에 대한 부모 교육의 중요성을 잘 알고 있습니다. AI가 주도하는 세상으로 나아갈수록 부모가 AI에 대한 기본적인 이해를 바탕으로 자녀가 이러한 기술 환경을 탐색할 수 있도록 돕는 것이 필수적입니다. 부모를 위한 AI 교육은 기술 커뮤니티와 비기술 커뮤니티 간의 격차를 해소하여 AI의 장점과 잠재적 단점에 대해 더 많은 정보를 바탕으로 토론할 수 있도록 도울 수 있습니다. 또한 AI 교육은 부모가 자녀들에게 책임감 있고 윤리적으로 AI 기술을 사용할 수 있도록 필요한 도구와 리소스를 제공할 수 있습니다.

2. AI를 학습할 수 있는 다양한 온라인 리소스

 AI에 대해 더 자세히 알고 싶은 부모가 이용할 수 있는 온라인 리소스가 많이 있습니다. 이미 6장에 일부를 소개했지만, 인기 있는 곳을 좀 더 소개해 보겠습니다.

1) edX: edX는 AI에 관한 다양한 강좌를 제공하는 또 다른 온라인 학습 플랫폼입니다. 이러한 과정은 다양한 학습자가 접근할 수 있도록 설계되었으며, 많은 과정이 무료로 제공됩니다. AI 윤리, 컴퓨터 비전, 강화 학습 등 다양한 주제를 다룹니다.

2) Medium: Medium은 AI에 관한 다양한 기사를 제공하는 온라인 퍼블리싱 플랫폼입니다. 이러한 기사의 대부분은 해당 분야의 전문가가 작성하며 AI의 최신 동향과 발전에 대한 인사이트를 제공합니다.

3) "모두를 위한 AI"는 Coursera에서 제공하는 강좌이다. https://www.coursera.org/learn/ai-for-everyone 인공지능 분야의 저명한 인물인 앤드류 응이 강의합니다. 이 과정은 비기술적인 학습자를 위해 설계되었으며 머신러닝과 딥러닝을 포함한 AI 개념에 대한 광범위한 개요를 제공합니다. 또한 다양한 산업 분야에서 AI의 다양한 적용 사례를 살펴보고 AI가 세상을 어떻게 변화시키고 있는지에 대한 예시를 제공합니다. 이 과정은 자기 주도적으로

진행되며 약 4주 만에 완료할 수 있으며, 주당 2~3시간 정도 소요됩니다.

4) AI 초보자를 위한 강좌: https://opentutorials.org/ AI에 대해 배울 수 있는 한국어 온라인 리소스를 소개합니다. 오픈튜토리얼에서 제공하는 온라인 강좌 시리즈로, 머신러닝, 자연어 처리 등 AI와 관련된 다양한 주제를 다루고 있습니다. 이 강좌는 무료로 제공되며 AI에 대한 사전 지식이 없는 초보자를 위해 설계되었습니다.

5) 칸 아카데미: https://ko.khanacademy.org/ AI 및 머신 러닝에 대한 입문 과정뿐만 아니라 어느 정도 기술적 배경 지식이 있는 학습자를 위한 고급 주제를 제공합니다.

6) Udacity: 보다 심도 있는 학습 경험을 제공하는 나노디그리를 포함한 다양한 AI 과정을 제공합니다.

7) K-MOOC: http://www.kmooc.kr/ 한국의 국가 온라인 학습 플랫폼으로, AI 및 관련 분야에 대한 다양한 강좌를 제공합니다.

AI 교육을 위한 온라인 리소스를 선택할 때는 기술 지식 수준과 자녀의 나이를 고려하는 것이 중요합니다. 일부 리소스는 초보자에게 더 적합할 수 있고, 다른 리소스는 경험이 많은 사람에게 더 적합할 수 있습니다. 또한 강좌, 동영상, 기사 등 다양한 유형의 리소스를 탐색하여 부모와 자녀에게 가장 적합한 것을 찾는 것도 좋은 방법입니다.

3. 부모의 기술 지식 수준과 자녀의 연령에 따른 리소스 선택

 AI 학습을 위한 리소스를 선택할 때는 부모의 기술 지식 수준과 자녀의 나이를 모두 고려하는 것이 중요합니다. 다음은 몇 가지 팁입니다:

1) 기본부터 시작하세요: 부모님이나 자녀가 AI를 처음 접하는 경우, AI와 머신 러닝의 기초를 다루는 리소스부터 시작하세요. 핵심 용어와 개념을 간단하고 이해하기 쉬운 언어로 설명하는 리소스를 찾아보세요.

2) 자신의 기술적 배경을 고려하세요: 자신의 기술적 배경에 맞는 리소스를 선택하세요. 기술적인 배경지식이 있다면 고급 리소스를 찾고, 기술적인 지식이 부족하다면 기본 리소스부터 시작하는 것이 좋습니다.

3) 연령 적합성을 확인하세요: 자료가 자녀의 연령에 적합한지 확인하세요. 일부 자료는 나이가 많은 어린이에게 더 적합할 수 있고, 다른 자료는 어린 자녀에게 더 적합할 수 있습니다.

4) 대화형 리소스를 찾아보세요: 게임이나 시뮬레이션과 같은 대화형 리소스는 아이들의 흥미를 유발하고 재미있고 상호 작용적인 방식으로 AI에 대해 배울 수 있는 좋은 방법이 될 수 있습니다.

5) 리뷰를 읽어보세요: 리소스를 선택하기 전에 다른 부모와 교육자의 리뷰와 평점을 읽어보세요. 이를 통해 리소스의 품질과 효과를 더 잘 파악할 수 있습니다.

6) 학습 스타일을 고려하세요: 자신의 학습 스타일에 맞는 리소스를 선택하세요. 어떤 사람은 동영상을 통해 학습하는 것을 선호하는 반면, 어떤 사람은 글을 읽거나 강좌를 수강하는 것을 선호합니다. 자신의 학습 스타일에 맞는 리소스를 찾아 학습 경험을 극대화하세요.

이러한 팁을 고려하면 부모와 자녀 모두에게 흥미롭고 효과적인 AI 학습을 위한 적절한 리소스를 선택할 수 있습니다.

4. 부모가 자녀와 함께 할 수 있는 AI 관련 프로젝트 예시

 다음은 부모가 자녀와 함께 할 수 있는 AI 관련 프로젝트의 몇 가지 예입니다:

1) 간단한 챗봇 만들기: 부모는 자녀와 함께 다이얼로그플로우나 타스 같은 온라인 도구를 사용하여 간단한 챗봇을 만들 수 있습니다.

좋아하는 동물이나 음식 등 특정 주제에 대한 질문에 답하도록
챗봇을 훈련할 수 있습니다.

2) 기계가 이미지를 인식하도록 가르치기: 부모는 자녀가 고양이나
개와 같은 특정 물체의 이미지를 인식할 수 있는 머신러닝 모델을
만들도록 도울 수 있습니다. 가르치기 쉬운 기계와 같은 무료 온라인
도구를 사용하여 이 작업을 수행할 수 있습니다.

3) 추천 시스템 만들기: 부모와 자녀가 함께 협력하여 사용자의
선호도에 따라 영화, 책 또는 기타 콘텐츠를 제안하는 추천 시스템을
구축할 수 있습니다. Python과 같은 프로그래밍 언어와 Pandas 및
Scikit-learn과 같은 라이브러리를 사용하여 이 작업을 수행할 수
있습니다.

4) AI 요소로 게임 만들기: 부모와 자녀는 머신 러닝 알고리즘을
사용하여 컴퓨터가 플레이어와 대결하여 플레이어의 움직임을
학습하고 그에 따라 전략을 조정하는 게임과 같이 AI 요소를 통합한
게임을 만들 수 있습니다.

5) 음성 어시스턴트로 실험하기: 부모와 자녀는 알렉사나 구글
어시스턴트와 같은 음성 어시스턴트를 사용해 음성 명령으로
트리거할 수 있는 사용자 지정 기술이나 동작을 만들 수 있습니다.
또한 자연어 명령을 처리하는 방식을 살펴봄으로써 이러한 시스템의
내부 작동 방식을 탐구할 수도 있습니다.

이러한 프로젝트는 자녀의 연령과 기술 전문 지식수준에 맞게
조정할 수 있으며, 아이들에게 재미있고 흥미롭게 AI의 세계를
소개할 방법이 될 수 있습니다.

제9장
일의 미래-AI시대 자녀들의 미래 직업

1. AI가 다양한 산업과 고용 시장을 변화시키는 방식

인공지능(AI)은 의료, 금융, 운송, 제조 등 다양한 산업을 빠르게 변화시키고 있습니다. 이러한 산업에서 AI는 일상적인 작업을 자동화하고 효율성을 개선하며 의사 결정 프로세스를 향상하는 데 사용되고 있습니다. 예를 들어, 의료 분야에서는 의사의 질병 진단을 보조하는 데 AI가 사용되고 있으며, 금융 분야에서는 사기 거래를 감지하는 데 AI가 사용되고 있습니다.

AI가 계속 진화하고 발전함에 따라 고용 시장도 변화할 것으로 예상됩니다. 일부 직업은 AI 기반 기계로 대체되지만, 비판적 사고, 문제 해결, 창의성 등의 기술이 있어야 하는 새로운 직업이 등장할 것입니다. 중요한 점은 AI가 인력을 완전히 대체하는 것이 아니라 인간의 기술을 보강하고 보완한다는 것입니다.

따라서 아이들이 기계가 쉽게 모방할 수 없는 기술을 개발하여 AI가 주도하는 세상에 대비하는 것이 중요합니다. 여기에는 의사소통, 적응력, 감성 지능과 같은 기술뿐만 아니라 기술과 그 작동 방식에 대한 탄탄한 이해가 포함됩니다. 이를 통해 아이들은 미래의 직업 기회에 더 잘 대비할 수 있고 AI 기반 취업 시장에서 성공할 수 있습니다.

2. AI 시대 수요가 높을 기술 및 역량

 AI가 계속 발전함에 따라 고용 시장도 빠르게 진화하고 있습니다. 현재 존재하는 많은 직업이 미래에는 존재하지 않을 수 있지만, AI 관련 기술과 역량이 필요한 새로운 직업이 등장할 것입니다. AI가 주도하는 고용 시장에서는 비판적 사고, 문제 해결, 창의성, 적응력과 같은 특정 기술과 역량이 높은 수요를 보일 것입니다.

비판적 사고와 문제 해결 능력은 기계와 알고리즘이 할 수 있는 일이 한정되어 있기 때문에 AI 기반 고용 시장에서는 필수적인 요소가 될 것입니다. 인간 근로자는 복잡한 문제를 분석하고 기계가 해결할 수 없는 문제에 대한 창의적인 해결책을 찾을 수 있어야 합니다. 기계는 아직 창의적인 사고나 혁신을 할 수 없기 때문에 창의력은 더욱 중요해질 것입니다. 틀에 박힌 사고에서 벗어나 새롭고 혁신적인 아이디어를 생각해낼 수 있는 인재가 선호될 것입니다.

기술은 끊임없이 진화하고 있으며 변화에 발맞추기 위해 새로운
기술이 필요하기 때문에 적응력 또한 AI 기반 고용 시장에서 매우
중요합니다. 빠르게 학습하고 새로운 기술과 프로세스에 적응할 수
있는 근로자는 취업 시장에서 상당한 이점을 누릴 수 있습니다.

전반적으로 AI가 주도하는 고용 시장에서는 근로자에게 기존의
기술력을 뛰어넘는 고유한 기술과 역량을 요구할 것입니다.
비판적으로 사고하고, 복잡한 문제를 해결하며, 창의력을 발휘하고,
변화에 빠르게 적응할 수 있는 근로자는 미래에 성공할 수 있는
유리한 위치에 서게 될 것입니다.

3. 미래의 직업에 대비하기 위한 AI 교육의 중요성

 AI 기술이 다양한 산업을 지속해 변화시키자 아이들 대상 AI
교육이 점점 더 중요해지고 있습니다. AI 교육은 어린이들이 AI가
주도하는 세상에서 미래의 직업 기회에 대비할 수 있는 중요한
기술과 역량을 개발하는 데 도움이 될 수 있습니다.

AI에 대해 배우면서 아이들은 비판적 사고와 문제 해결 능력을
키우고 프로그래밍과 데이터 분석에 대한 경험을 쌓을 수 있습니다.
이러한 기술은 미래 취업 시장에서 높은 수요를 보일 것이기에 어릴
때부터 AI 교육에 대한 기초를 갖추는 것이 더욱 중요해질 것입니다.

어린 학생들에 대한 AI 교육은 귀중한 기술과 역량을 제공할 뿐만 아니라 다양한 AI 관련 직업 경로에 노출될 수 있습니다. 이는 아이들이 미래의 교육과 직업 선택에 대해 정보에 입각한 결정을 내리는 데 도움이 될 수 있습니다.

AI 교육은 아이들이 미래 취업 시장에 대비하는 데 매우 중요합니다. AI 기반 세상에서 성공하는 데 필요한 기술과 역량을 제공하고 이 분야에서 흥미로운 직업 기회를 탐색하는 데 도움이 될 수 있습니다.

4. 미래 세대 AI 관련 직업 및 커리어

 AI가 계속 발전하고 보편화됨에 따라 적절한 기술과 전문성을 갖춘 사람들을 위한 새로운 직업 기회가 생겨나고 있습니다. 다음은 미래 세대가 이용할 수 있는 AI 관련 직업과 커리어의 몇 가지 예입니다:

1) AI/머신러닝 엔지니어: 음성 인식이나 컴퓨터 비전 기술과 같은 AI 및 머신러닝 시스템을 설계하고 개발하는 엔지니어.

2) 데이터 분석가: 데이터 분석가는 통계 및 분석 방법을 사용하여 대량의 데이터를 수집, 분석, 해석하는 일을 담당합니다. AI는 종종 이 프로세스를 자동화하여 더 효율적이고 정확하게 만드는 데 사용됩니다.

3) 로봇 공학 엔지니어: 로봇 공학 엔지니어는 로봇과 자동화 시스템을 설계, 구축 및 유지 관리합니다. 로봇 공학에서 AI의 사용이 증가함에 따라 이 직업은 점점 더 관련성이 높아지고 있습니다.

4) AI 비즈니스 전략가: 조직이 비즈니스 목표를 달성하는 데 도움이 될 수 있는 AI 기반 솔루션을 식별하고 구현하도록 지원하는 전문가입니다.

5) AI 윤리 전문가: 편견, 개인정보 보호, 투명성 등의 문제를 고려하여 AI 시스템이 윤리적이고 책임감 있는 방식으로 개발 및 배포되도록 보장하는 전문가입니다.

6) AI 제품 관리자: AI 기반 제품 및 서비스의 개발과 구현을 감독하여 고객과 사용자의 요구를 충족하는지 확인하는 전문가.

7) AI 테크니컬 라이터: AI 시스템 및 애플리케이션에 대한 문서와 교육 자료를 전문적으로 작성하여 사용자가 더 쉽게 접근할 수 있도록 하는 전문가.

8) 사이버 보안 분석가: 사이버 보안 분석가는 AI를 사용하여 네트워크와 컴퓨터 시스템에 대한 사이버 공격을 탐지하고 예방합니다. 사이버 공격의 위협이 증가함에 따라 이 직업은 점점 더 중요해지고 있습니다.

9) 가상 현실 개발자: 가상현실 개발자는 AI를 사용하여 훈련, 교육, 엔터테인먼트 등 다양한 용도로 사용할 수 있는 몰입형 가상 환경을 만듭니다.

10) 의료 기술자: 의료 기술자는 AI 기반 도구와 장치를 사용하여 환자를 진단하고 치료하는 데 도움을 줍니다. 예를 들어, 이런 도구는 질병과 부상을 보다 정확하고 효율적으로 감지하는 데 도움이 될 수 있습니다.

이것들은 미래 세대가 이용할 수 있는 수많은 AI 관련 직업과 경력 중 몇 가지 예에 불과합니다. AI가 계속 발전하고 우리 삶에 더욱 통합됨에 따라 이 흥미진진하고 빠르게 성장하는 분야에서 더 많은 직업 기회가 생겨날 것으로 예상됩니다.

제10장
AI와 창의력: 사고의 틀에서 벗어날 수 있게 장려하기

1. AI를 통해 어린이들의 창의력 키우기

1) AI는 아이들에게 새롭고 흥미로운 도구를 제공함으로써 창의력과 혁신에 영감을 불어넣을 수 있습니다. 예를 들어, AI 기반 음악 및 미술 도구는 아이들이 이전에는 접할 수 없었던 새로운 스타일과 기법을 실험할 수 있게 해줍니다.

2) AI는 아이들이 더욱 체계적인 방식으로 창의력에 접근할 수 있도록 도와주며, 이는 창의적인 과정에 부담을 느끼는 아이들에게 특히 도움이 될 수 있습니다. AI는 과제를 세분화하고 가이드를 제공함으로써 아이들이 창의적인 활동을 할 때 자신감과 힘을 얻을 수 있도록 도와줍니다.

3) AI는 아이들이 새롭고 다양한 영감의 원천에 노출될 수 있도록 도와줍니다. 예를 들어, AI 알고리즘은 방대한 양의 데이터를 분석하여 아이들이 미처 생각하지 못했던 새로운 아이디어나 조합을 제안할 수 있습니다. 이는 더 혁신적이고 독특한 창작물로 이어질 수 있습니다.

4) AI는 아이들에게 새로운 관점과 아이디어를 제공함으로써 창의력과 혁신에 영감을 불어넣을 수 있습니다. 예를 들어, AI 기반 스토리텔링 도구는 새롭고 예상치 못한 스토리라인을 생성할 수 있으며, AI 기반 디자인 도구는 어린이들이 제품 및 그래픽 디자인의 새로운 가능성을 탐색하는 데 도움을 줄 수 있습니다.

5) AI는 복잡한 문제와 퍼즐을 풀도록 도전함으로써 아이들이 상자 밖에서 생각하도록 장려할 수 있습니다. 예를 들어, AI 기반 게임과 교육 도구는 아이들이 재미있고 인터랙티브한 활동에 참여하면서 비판적 사고와 문제 해결 능력을 기르는 데 도움이 될 수 있습니다.

AI는 아이들의 창의력과 혁신에 영감을 불어넣는 강력한 도구가 될 수 있습니다. 새로운 도구를 제공하고, 지침을 제공하며, 새로운 영감의 원천에 어린이를 노출함으로써 AI는 어린이가 창의력을 계발하고 새로운 아이디어를 실현하는 데 도움을 줄 수 있습니다.

2. 어린이가 참여할 수 있는 창작 도구 및 프로젝트

아이들이 창의력을 향상하기 위해 참여할 수 있는 AI 기반 창작 도구와 프로젝트가 많이 있습니다. 다음은 몇 가지 예시입니다:

1) AI 음악 만들기: 어린이가 직접 음악을 작곡하는 데 도움이 되는 여러 가지 AI 기반 음악 제작 도구가 있습니다. 이러한 도구는 알고리즘을 사용하여 기존 음악을 분석한 다음 그 분석을 기반으로 새로운 음악을 생성합니다. 인기 있는 AI 음악 제작 도구로는 Amper Music, Jukedeck, AIVA 등이 있습니다.

2) AI 예술 창작: AI는 예술 작품 제작에도 사용할 수 있습니다. 아이들이 자신만의 독특한 예술 작품을 만들 수 있도록 도와주는 AI 기반 미술 도구가 많이 있습니다. 예를 들어, 딥 드림 제너레이터는 AI 알고리즘을 사용하여 사진을 예술 작품으로 변환하는 온라인 도구입니다. 구글의 퀵, 드로우(Quick, Draw!)는 AI가 무엇을 그리는지 추측하는 동안 아이들이 사물을 그리도록 도전하는 또 다른 재미있는 AI 기반 미술 도구입니다.

3) AI 스토리텔링: AI는 대화형 스토리를 만드는 데에도 사용할 수 있습니다. 아티(Artie), 주빈(Zoobean)과 같은 도구는 자연어 처리 알고리즘을 사용하여 어린이의 음성 명령에 반응하는 대화형 스토리를 만듭니다. 이러한 도구는 어린이가 스토리텔링 기술을

개발하고 창의적인 방식으로 기술을 활용하는 데 도움이 될 수 있습니다.

AI 기반 크리에이티브 도구는 어린이에게 새롭고 흥미로운 창의력 탐구 방법을 제공할 수 있습니다. 또한 이러한 도구는 아이들이 문제 해결, 비판적 사고, 협업과 같은 가치 있는 기술을 개발하는 데 도움이 될 수 있습니다.

3. 창의력 향상을 위한 AI 사용, 이렇게 지도해 보세요

다음은 부모를 위한 몇 가지 제안으로, 아이들이 AI를 활용하여 창의력을 키울 수 있도록 장려하는 방법입니다.

1) 아이들에게 AI 기반 창작 도구를 소개하세요: 어린이가 창의적인 재능을 탐구하는 데 도움이 될 수 있는 AI 기반 도구와 애플리케이션이 많이 있습니다. 부모는 아이들에게 이러한 도구를 소개하고 실험해 보도록 격려할 수 있습니다.

2) 협업을 장려하세요: 아이들이 서로 또는 AI 기반 도구를 사용하여 협업하도록 장려하세요. 예를 들어, 아이들이 함께 AI 기반 그리기 도구를 사용하여 예술 작품을 만들 수 있습니다.

3) 비판적 사고의 중요성을 강조하세요: AI 기반 도구는 아이들의 창의력을 향상시키는 데 도움이 될 수 있지만 비판적 사고력도

필요합니다. 아이들이 질문을 하고 AI 기반 도구의 결과물에 대해 비판적으로 생각하도록 격려하세요.

4) 실제 사례를 강조하세요: 창의적인 산업에서 AI가 어떻게 활용되는지 아이들에게 사례를 보여주세요. 예를 들어, 스트리밍 서비스에서 개별 사용자를 위한 맞춤형 음악 추천을 위해 AI 기반 음악 추천이 어떻게 사용되고 있는지 설명해 주세요.

5) 실험을 장려하세요: 아이들이 실험하고 새로운 것을 시도하도록 격려하세요. AI 기반 도구는 예측할 수 없기 때문에 예상치 못한 창의적인 결과물이 나올 수 있습니다.

부모는 자녀가 AI 기반 도구를 사용하여 창의력을 향상하도록 장려함으로써 비판적 사고, 문제 해결, 협업 등 미래에 가치 있는 다양한 기술을 개발할 수 있도록 도울 수 있습니다.

4. AI가 창조 산업과 일자리에 어떤 영향을 미칠까?

AI는 크리에이티브 산업과 그 안의 일자리에 큰 영향을 미칠 수 있는 잠재력을 가지고 있습니다. 가장 중요한 영향 중 하나는 콘텐츠 제작 및 큐레이션과 같은 특정 작업의 자동화입니다. 예를 들어, AI 알고리즘은 소비자 선호도에 대한 데이터를 분석하여 제품 추천이나 타겟 광고와 같은 개인화된 콘텐츠를 생성할 수 있습니다. 이는 잠재적으로 마케팅 및 광고의 특정 역할을 대체할 수 있습니다.

AI는 아티스트와 디자이너에게 새로운 도구와 방법을 제공함으로써 창의성과 혁신을 향상할 수도 있습니다. AI 기반 소프트웨어는 패턴을 분석하고 새로운 아이디어를 생성하거나 색상 선택이나 구도와 같은 작업을 지원할 수 있습니다. 이를 통해 시간을 절약하고 창의적인 표현을 위한 새로운 방법을 제공할 수 있습니다.

또한 AI는 완전히 새로운 산업과 일자리를 창출할 수 있는 잠재력을 가지고 있습니다. AI가 계속 발전함에 따라 다양한 산업 분야에서 AI 기반 솔루션을 개발하고 구현할 수 있는 전문가에 대한 필요성이 커질 것입니다. 여기에는 AI 개발자, 데이터 과학자, AI 윤리학자 등의 역할이 포함됩니다.

AI는 크리에이티브 산업에서 일부 일자리를 대체할 수 있지만, 새로운 기회를 창출하고 크리에이티브 프로세스를 향상할 잠재력도 있습니다. 부모는 자녀가 창의성과 혁신을 위한 도구로써 AI를 받아들이도록 격려하는 동시에 고용 시장에 미칠 수 있는 잠재적 영향에 대비하는 것이 중요합니다.

제11장
AI와 감정-AI 시대의
감성 지능에 대해 가르치기

1. AI를 사용해 인간의 감정을 이해하고 시뮬레이션하는 방법

 AI는 자연어 처리, 컴퓨터 비전, 머신 러닝 알고리즘 등 다양한
기술을 통해 사람의 감정을 이해하고 시뮬레이션하는 데 사용할 수
있습니다. 자연어 처리(NLP)를 통해 AI 시스템은 어조, 감정, 문맥을
포함한 인간의 언어를 분석하고 해석하여 커뮤니케이션에서 감정을
감지할 수 있습니다. 컴퓨터 비전을 통해 AI 시스템은 얼굴 표정,
몸짓, 제스처를 인식하여 감정을 파악할 수 있습니다. 머신 러닝
알고리즘은 감정 신호의 대규모 데이터 세트를 학습하여 패턴을
감지하고 감정 반응을 예측할 수 있습니다.

AI는 사람의 감정을 분석하고 시뮬레이션함으로써 고객 서비스나
의료 서비스 등 인간과 기계 간의 상호 작용을 개선하는 데 사용할
수 있습니다. 또한 연구자와 치료사가 정신 건강 상태를 더 잘
이해하고 치료하는 데 도움이 될 수 있습니다. 그러나 AI는 인간의
감정과 공감을 대체하는 것이 아니라 정서적 요구를 이해하고

해결하는 데 도움을 줄 수 있는 도구라는 점을 인식하는 것이
중요합니다.

2. AI시대 어린이를 위한 감성 지능 기술의 중요성

 AI시대에는 아이들이 공감 능력과 사회적 인식과 같은 감성 지능을
키우는 것이 중요합니다. 감성 지능은 자신의 감정뿐만 아니라
타인의 감정을 인식하고 이해하며 관리하는 능력입니다. AI 기술이
발전함에 따라 개인이 기계 및 다른 사람들과 효과적으로 협력하기
위해 강력한 감성 지능 기술을 갖추는 것이 점점 더 중요해지고
있습니다.

예를 들어 공감은 다른 사람의 감정을 이해하고 공유하는
능력입니다. AI가 일상생활에 널리 보급됨에 따라 어린이들이 기계
및 가상 비서는 물론 다른 사람들과 효과적으로 상호 작용하기
위해서는 공감 기술을 개발하는 것이 중요합니다. 공감에 대한
사회적 인식 역시 복잡한 사회적 상황을 이해하고 탐색해야 하기에
가상현실과 증강현실 기술이 계속 발전함에 따라 더욱 중요해지고
있습니다.

또한 감성 지능 기술은 어린이의 개인적인 성장과 발달에도
중요합니다. 정서 지능은 어린이가 다른 사람들과 긍정적인 관계를

구축하고, 감정을 조절하며, 더 나은 결정을 내리는 데 도움이 될 수 있습니다. 따라서 부모는 아이들의 감성 지능 기술 개발을 장려하는 것이 중요합니다.

3. 어린이 감성 지능 기술을 개발하는 데 도움이 되는 도구들

어린이 감성 지능 기술을 개발하는 데 도움이 되는 AI 기반 도구 및 애플리케이션 몇 가지를 소개해 드리겠습니다.

1) Woebot: Woebot은 인지행동치료(CBT) 기법을 사용해 아이들의 감정 관리를 돕는 챗봇입니다. 아이들이 대화에 참여하도록 유도하고 정서적 문제를 해결하기 위한 피드백과 대처 전략을 제공합니다.

2) 레플리카(Replika): 레플리카는 자연어 처리를 사용하여 어린이와 대화하고 어린이의 관심사, 취미, 정서적 필요를 파악하는 AI 기반 챗봇입니다. 아이들이 자기 생각과 감정을 표현할 수 있는 비판적이고 지지적인 환경을 제공합니다.

3) 감정 AI(Emotion AI): 감정 AI는 컴퓨터 비전과 자연어 처리를 사용하여 사람의 감정을 감지하고 해석하는 기술입니다. 가상 비서, 게임, 헬스케어 등 다양한 애플리케이션에서 감정적 참여를 향상하고 개인화된 경험을 제공하는 데 사용할 수 있습니다.

4) 감성 컴퓨팅(Affective computing): 감성 컴퓨팅은 AI를 사용하여 얼굴 표정, 목소리 억양 및 기타 생리적 신호를 기반으로 인간의 감정을 분석하고 인식하는 연구 분야입니다. 감성 컴퓨팅은 교육, 의료, 엔터테인먼트 등 다양한 분야에서 감성 지능과 웰빙을 향상하는 데 사용될 수 있습니다.

이러한 도구와 애플리케이션은 아이들이 자신의 감정을 탐색하고 표현할 수 있도록 안전하고 지지적인 환경을 제공합니다. 그래서 자기 인식, 공감, 사회적 인식과 같은 감성 지능 기술을 개발하는 데 도움이 될 수 있습니다. 부모와 교육자는 자녀가 이러한 도구와 애플리케이션을 일상 생활의 일부로 사용하여 정서 지능과 웰빙을 향상하도록 도울 수 있습니다.

4. AI를 통해 감성 지능 가르치기

 AI의 맥락에서 아이들에게 감성 지능에 대해 가르치는 방법 몇 가지를 소개하겠습니다.

1) 아이들이 감정을 식별하도록 격려하세요: 아이들은 자신의 감정뿐만 아니라 다른 사람의 감정을 인식하고 분류하는 방법을 배워야 합니다. 감정 인식 소프트웨어나 챗봇과 같은 AI 기반 도구는

아이들이 감정을 식별하고 그 영향을 이해하는 데 도움이 될 수 있습니다.

2) 공감 능력을 가르치세요: 아이들이 다른 사람의 입장이 되어보고 그들의 관점을 이해하도록 격려하세요. 스토리텔링, 롤플레잉, 공감을 강조하는 영화나 TV 프로그램 시청 및 토론 등의 활동을 통해 이를 실천할 수 있습니다.

3) 사회적 인식 증진: 아이들이 다양한 문화, 가치, 신념을 이해하고 존중하도록 장려해야 합니다. 언어 번역 소프트웨어나 문화 학습 앱과 같은 인공지능 기반 도구는 다양한 문화와 관습에 대해 배우는 데 도움이 될 수 있습니다.

4) 자기 인식을 장려하세요: 아이들은 자신의 감정을 인식하고 조절하는 방법을 배워야 합니다. AI 기반 몇몇 앱들은 아이들이 자기 인식과 감정 조절 기술을 개발하는 데 도움이 될 수 있습니다.

5) 책임감 있는 AI 사용법을 가르치세요: 어린이에게 데이터 프라이버시 및 편견과 같은 AI 기술 사용의 윤리적 고려 사항을 가르쳐야 합니다. 부모가 책임감 있는 AI 사용의 모범을 보이는 것이 중요합니다.

부모는 AI 교육에 감성 지능을 통합함으로써 자녀가 기술의 영향을 점점 더 많이 받는 세상에서 성공하는 데 필요한 사회적, 정서적 기술을 개발하도록 도울 수 있습니다.

제12장
어린이 역량 강화: AI가 실제 문제 해결을 돕는 방법

1. AI를 통한 실제 문제 해결, 긍정적인 사회적 영향력 창출

 AI는 다양한 방식으로 현실 세계의 문제를 해결하고 긍정적인 사회적 영향력을 창출하는 데 사용될 수 있습니다. AI 기반 기술과 도구는 데이터를 더욱 효과적으로 수집하고 분석하여 더 나은 의사 결정과 문제 해결로 이어질 수 있도록 도와줍니다. 예를 들어, AI는 날씨 패턴을 분석하고 자연재해를 예측하거나 질병의 확산을 모니터링하고 효과적인 치료법을 개발하는 데 사용될 수 있습니다.

또한 AI는 에너지 그리드(energe grid)나 교통망과 같이 보다 효율적이고 지속 가능한 시스템을 구축하는 데 도움이 될 수 있습니다. 에너지 그리드는 태양열, 풍력, 바이오매스, 천연가스와 같은 발전 소스와 가정이나 회사에 전력을 공급하는 송배전 라인의 조합입니다. 이는 비용 절감과 탄소 배출량 감소로 이어질 수 있습니다.

또한, AI는 우주 탐사나 응급 상황 대응과 같이 인간이 하기에는 위험하거나 어려운 작업에도 도움을 줄 수 있습니다.

이렇게 AI는 현실 세계의 문제에 접근하고 해결하는 방식을 혁신하여 모두에게 보다 지속 가능하고 효율적이며 공평한 미래를 가져다줄 잠재력을 가지고 있습니다.

2. 환경, 건강 및 사회 문제를 위한 AI 솔루션의 예

 다음은 다양한 실제 문제에 대한 AI 기반 솔루션의 몇 가지 예입니다:

1) 환경 문제: AI는 환경 데이터를 분석하고 모니터링하여 대기 오염, 삼림 벌채, 기후 변화와 같은 문제를 식별하고 해결하는 데 도움을 줄 수 있습니다. 예를 들어, 연구자들은 아마존 열대우림의 삼림 벌채를 예측하고 산불 위험 지역을 식별할 수 있는 AI 모델을 개발했습니다. 또한 AI 기반 로봇은 수로에서 오염 물질을 제거하고 해양 생태계를 복원하는 데 사용될 수 있습니다.

2) 건강 문제: AI는 의료 결과를 개선하고 비용을 절감하는 데 사용될 수 있습니다. 예를 들어, AI 기반 진단 도구는 암이나 심장병과 같은 질병을 조기에 발견하여 성공적인 치료 가능성을 높일 수 있습니다. 또한 AI는 개인의 병력, 유전적 구성, 라이프스타일을 기반으로 개인 맞춤형 치료 계획을 개발하는 데 사용될 수 있습니다. 또한 AI는

대량의 건강 데이터를 분석하여 공중 보건 결과를 개선하는 데 도움이 될 수 있는 패턴과 추세를 파악하는 데 사용될 수 있습니다.

3) 사회적 문제: AI는 빈곤, 교육, 공공 안전과 같은 다양한 사회 문제를 해결하는 데 사용될 수 있습니다. 예를 들어, AI 기반 챗봇은 노숙자나 가정 폭력 등 도움이 필요한 사람들에게 도움을 제공할 수 있습니다. 또한 AI는 학생들이 자신의 속도에 맞게 학습할 수 있도록 도와주는 개인화된 교육 도구를 개발하고 교사에게 교수법을 개선할 수 있는 피드백을 제공하는 데 사용될 수 있습니다. 또한, AI 기반 예측 분석은 법 집행 기관이 잠재적인 범죄 영역을 식별하고 공공 안전을 보장하기 위한 예방 조치를 취하는 데 도움이 될 수 있습니다.

이렇게 AI 기반 솔루션은 전 세계에서 가장 시급한 문제를 해결하고 전 세계 사람들의 삶을 개선할 수 있는 잠재력을 가지고 있습니다.

3. 문제 해결자이자 혁신가 되기

 AI 교육은 아이들이 현실 세계의 문제를 해결하는 데 AI를 활용할 수 있는 방법을 접하게 함으로써 문제 해결자이자 혁신가가 될 수 있도록 영감을 줄 수 있습니다. 다양한 분야에서 AI와 그 응용에 대해 배우면서 아이들은 호기심과 창의력을 키울 수 있으며, 이를 통해 주변에서 일어나는 문제에 대한 혁신적인 해결책을 찾을 수 있습니다.

AI 교육을 통해 아이들은 데이터를 수집, 분석, 사용하여 예측 모델을 만들고 정보에 입각한 결정을 내리는 방법에 대해 배울 수 있습니다. 이러한 이해는 아이들이 데이터와 AI를 사용하여 문제를 해결하고 긍정적인 사회적 영향력을 창출하는 방법에 대해 비판적이고 창의적으로 사고하는 데 도움이 될 수 있습니다.

또한 AI 교육은 많은 산업에서 점점 더 중요해지고 있는 컴퓨팅 사고, 프로그래밍, 데이터 분석과 같은 기술을 개발하는 데 도움이 될 수 있습니다. 이러한 기술은 아이들이 미래의 직업에 대비하고 현실 세계의 문제에 대한 혁신적인 솔루션을 만드는 데 필요한 도구를 제공할 수 있습니다.

AI 교육은 AI를 사용하여 현실 세계의 문제를 해결하고 긍정적인 사회적 영향력을 창출하는 데 필요한 지식, 기술, 사고방식을 제공함으로써 아이들이 문제 해결자이자 혁신가가 될 수 있도록 영감을 줄 수 있는 잠재력을 가지고 있습니다.

4. 실제 문제를 해결하기 위해 AI 사용, 이렇게 지도해 보세요

1) 기본부터 시작하세요: 아이들에게 AI의 작동 방식, 할 수 있는 일, 한계 등 AI의 기본 사항을 가르치세요.

2) 호기심을 장려하세요: 아이들이 해결하고 싶은 현실 세계의 문제에 대해 탐구하고 질문하도록 장려하세요.

3) AI 도구 소개하기: 아이들에게 현실 세계의 문제와 가능한 해결책에 대해 더 많이 배울 수 있는 AI 도구와 플랫폼을 소개하세요.

4) 다른 사람들과 협업하세요: 아이들이 팀으로 일하고 다양한 기술과 관점을 가진 다른 사람들과 협업하도록 장려하세요.

5) 공감의 중요성 강조: 아이들에게 공감의 중요성과 실제 문제에 영향을 받는 사람들의 관점과 필요를 이해하도록 가르치세요.

6) 지도와 감독을 제공하세요: 어린이가 현실 세계의 문제를 해결하기 위해 AI 도구를 사용할 때 적절한 지도와 감독을 받도록 하세요.

7) 성공을 축하하세요: AI를 사용하여 현실 세계의 문제를 해결한 아이들의 성공을 아무리 작은 것이라도 축하해 주고, 아이가 AI와 문제 해결에 대한 관심을 계속 추구하도록 격려하세요.

제13장
차세대 혁신가: AI로 창작 의욕
고취 시키기

1. AI를 통해 혁신과 기업가 정신 고취 시키기

 AI는 아이디어를 현실화하는 데 필요한 도구와 기술을 제공함으로 아이들에게 혁신과 기업가 정신을 고취할 수 있습니다. AI를 통해 아이들은 자신만의 발명품과 솔루션을 쉽게 만들고 프로토타입(prototype-원래의 형태, 기초 또는 표준)을 제작할 수 있으며, 이를 통해 창의력과 문제 해결 능력을 키울 수 있습니다. 또한 AI는 아이들이 현실 세계의 문제를 파악하고 이를 해결하기 위한 혁신적인 솔루션을 개발하는 데 도움을 줄 수 있습니다. 이는 사회에 도움이 될 수 있는 새로운 제품과 서비스 개발로 이어질 수 있으며, 아이들이 기업가 정신과 혁신 분야에서 경력을 쌓도록 영감을 줄 수도 있습니다. AI에 대해 배우고 새로운 솔루션을 만드는 데 AI를 어떻게 사용할 수 있는지 배우면서 아이들은 혁신과 문제 해결에 초점을 맞춘 사고방식을 개발할 수 있습니다. 이것은 미래의 성공을 준비하는 발판이 될 것입니다.

2. 젊은이들이 설립한 AI 기반 발명품 및 스타트업의 사례

다음은 젊은이들이 창업한 AI 기반 발명품과 스타트업의 몇 가지
예입니다:

1) 스마트케인(SmartCane): 시각 장애인이 주변 환경을 더 쉽게
탐색할 수 있도록 설계된 장치입니다. AI 기술을 사용하여 장애물을
감지하고 진동을 통해 사용자에게 경고합니다.

2) 딥스크라이브(DeepScribe): 이 스타트업은 AI를 사용하여 의사를
위해 의료 기록을 기록하고 정리하여 시간을 절약하고 환자 치료를
개선합니다.

3) 비즈ai (Viz.ai): 두 명의 의대생이 설립한 Viz.ai는 AI를 사용하여
의료 스캔을 분석하고 뇌졸중 징후를 감지합니다. 이를 통해 더 빠른
진단과 치료가 가능해져 장기적인 손상을 예방하는 데 결정적인
역할을 할 수 있습니다.

4) 인텔리타(Intellicta): 이 스타트업은 AI를 사용하여 위성 이미지를
분석하고 농작물 수확량을 예측하여 농부들이 더 많은 정보에
입각한 결정을 내리고 생산성을 높일 수 있도록 지원합니다.

5) 블레이저(Blazr): 고등학생들이 설립한 Blazr는 AI를 사용하여
사용자의 신체 활동을 모니터링하고 실시간 피드백과 코칭을
제공하는 웨어러블 기기입니다.

6) 딥러닝 기반의 당뇨망막병증의 조기 발견: 한 고등학생 그룹이 망막 스캔을 분석하여 당뇨병 망막증을 조기에 발견할 수 있는 딥러닝 알고리즘을 개발했습니다. 이 발명품은 2016년 구글 사이언스 페어에서 수상했습니다.

7) 밴티지 로보틱스(Vantage Robotics): 토빈 피셔와 조 반 니커크가 설립한 밴티지 로보틱스는 컴퓨터 비전 알고리즘을 사용하여 장애물을 피하고 부드러운 비디오 영상을 캡처하는 드론을 개발했습니다. 투자자로부터 투자를 받아 2017년에 제품을 출시할 수 있었습니다.

8) 아톰와이즈(Atomwise): 아브라함 하이페츠와 이자르 왈라흐가 설립한 Atomwise는 AI를 사용하여 분자 상호작용을 실시간으로 시뮬레이션함으로써 신약 개발을 가속합니다. 이 스타트업은 현재까지 1억 7,400만 달러 이상의 자금을 조달했으며 여러 주요 제약회사와 파트너십을 맺었습니다.

9) 다람쥐 AI 학습(Squirrel AI Learning) : 데릭 하오양 리가 설립한 Squirrel AI Learning은 적응형 학습 알고리즘을 사용하여 학생들에게 맞춤형 학습 경험을 제공하는 AI 기반 개인화 교육 플랫폼입니다. 이 스타트업은 2억 달러 이상의 자금을 모금했으며 등록 학생 수는 200만 명이 넘습니다.

10) 레플리카(Replika): 레플리카: 유지니아 쿠이다와 필 더드척이
설립한 레플리카는 정신 건강 문제가 있는 사람들을 돕기 위해
설계된 AI 챗봇입니다. 이 챗봇은 자연어 처리와 머신러닝
알고리즘을 사용하여 사용자에게 개인화된 정서적 지원을
제공합니다. 이 스타트업은 천만 달러가 넘는 자금을 모금했습니다.

이것은 젊은 사람들이 창업한 수많은 혁신적인 AI 기반 발명품과
스타트업의 몇 가지 예에 불과합니다. 적절한 기술과 자원만 있다면
어린이와 청소년은 현실 세계의 문제에 대한 획기적인 솔루션을
만들 수 있는 잠재력을 가지고 있습니다.

다음은 한국에서 설립된 AI 기반 발명품과 스타트업의 몇 가지
예입니다:

1) 루닛(Lunit)- 루닛은 AI를 사용하여 의료 영상을 분석하고
영상의학 전문의의 다양한 질병 진단을 지원하는 한국
스타트업입니다. 루닛의 AI 기반 소프트웨어는 엑스레이와 유방 촬영
사진에서 이상 징후를 감지할 수 있으며, 진단 정확도를 향상하는

것으로 나타났습니다.

2) 스켈터랩스(Skelter Labs)- 스켈터랩스는 AI를 활용해 기업용
자연어 처리(NLP) 기술을 개발하는 한국 스타트업입니다.
스켈터랩스의 AI 기반 챗봇은 고객의 문의를 실시간으로 이해하고

응답할 수 있으며, 은행, 이커머스, 통신 등 다양한 산업에서 도입하고 있습니다.

3) 마인즈랩(MINDs Lab)- 마인즈랩은 자연어 생성(NLG) 기술을 전문으로 하는 한국 스타트업입니다. 마인즈랩의 AI 기반 소프트웨어는 데이터를 분석하고 보고서, 요약, 뉴스 기사까지 실시간으로 생성할 수 있습니다. 마인즈랩의 기술은 금융, 의료, 미디어 등의 산업 분야에서 활용되고 있습니다.

4) AI브레인(AIBrain)- AI브레인은 AI를 활용해 개인 맞춤형 교육 기술을 개발하는 한국 스타트업입니다. AI 기반 챗봇과 가상 비서는 개별 학습 스타일에 적응하고 학생에게 개인화된 피드백을 제공할 수 있습니다. 이 기술은 언어 학습부터 기업 교육 프로그램에 이르기까지 다양한 교육 환경에서 사용되고 있습니다.

5) 아숙업(AskUP)- AskUp은 업스테이지가 챗GPT와 자사의 OCR(광학문자인식기술) 기술을 더해 카카오톡에 론칭한 서비스입니다. 챗GPT를 연동하여 간단한 태스크나 궁금증을 해결해 주고 있습니다. 사진 인식이 가능해서 더욱 편리한 서비스를 누릴 수 있습니다.

3. AI 교육을 통해 기업가 정신 길러주기

 AI 교육은 아이들에게 문제 해결, 비판적 사고, 창의력 등 기업가 정신에 필요한 기술과 사고방식을 제공할 수 있습니다. AI와 그 잠재적 응용에 대해 학습함으로써 어린이는 기술을 사용하여 현실 세계의 문제를 해결하고 혁신적인 솔루션을 만드는 방법을 이해할 수 있습니다.

또한 AI 교육은 아이디어를 구상하고, 프로토타입(prototype-원래의 형태, 기초 또는 표준)을 만들고, 테스트하고, 다듬는 과정을 가르침으로써 아이들이 기업가적 마인드를 키우도록 장려할 수 있습니다. AI를 사용하여 데이터를 분석하고 패턴을 파악하며 타겟 고객의 요구를 충족하는 새로운 제품과 서비스를 개발하는 방법을 배울 수 있습니다.

또한 AI 교육은 아이들이 함께 아이디어를 개발하고 구체화하면서 협업과 팀워크를 키울 수 있습니다. AI 교육은 아이들이 아이디어를 공유하고 함께 협력하여 문제를 해결하도록 장려함으로써 기업가 정신의 성공에 필수적인 강력한 커뮤니케이션 및 대인관계 기술을 개발하는 데 도움이 될 수 있습니다.

이렇게 AI 교육은 어린이들에게 21세기의 성공적인 기업가이자 혁신가가 되는 데 필요한 지식, 기술, 사고방식을 제공할 수 있습니다.

4. 자신만의 발명품과 솔루션 만들기, 이렇게 도와주세요

1) 아이들에게 AI 기술을 소개하세요: 부모는 아이들에게 AI 기술과 그 기능을 소개하는 것부터 시작할 수 있습니다. 책, 동영상, 온라인 튜토리얼, 또는 AI 전시회나 이벤트에 자녀를 데려가서 소개할 수 있습니다.

2) 창의력과 문제 해결력을 장려하세요: 부모는 자녀가 창의적으로 사고하고 문제 해결 능력을 키우도록 격려할 수 있습니다.

일상생활에서 직면하는 문제를 파악하도록 요청하고 AI를 사용하여 잠재적인 해결책을 브레인스토밍하는 방식으로 이를 수행할 수 있습니다.

3) 지지적인 환경을 조성하세요: 아이들이 새로운 것을 실험하고 시도하는데 편안함을 느낄 수 있는 지지적인 환경을 조성하는 것이 중요합니다. 부모는 리소스와 지침을 제공할 수 있지만, 아이들이 자유롭게 탐색하고 실수할 수 있도록 해야 합니다.

4) AI 도구와 리소스에 대한 액세스를 제공하세요: 부모는 코딩 플랫폼, 데이터 세트, 소프트웨어와 같은 AI 도구와 리소스에 대한 액세스를 제공하여 자녀가 AI 기술을 배우고 실험할 수 있도록 도울 수 있습니다.

5)협업을 장려하세요: 부모는 자녀가 AI 프로젝트에서 함께 작업하고 협업하도록 장려할 수 있습니다. 이를 통해 아이들은 서로에게서 배우고 팀워크 능력을 키우며 더욱 혁신적인 솔루션을 만들 수 있습니다.

6) 성공을 축하하세요: 마지막으로, 자녀의 성공과 성취를 축하하는 것도 중요합니다. 이는 표창, 상 또는 더 많은 청중에게 작품을 보여줌으로써 이루어질 수 있습니다. 성공을 축하하는 것은 아이들의 자신감을 키우고 AI로 계속 탐구하고 창작하도록 영감을 주는 데 도움이 될 수 있습니다.

제14장
AI와 안전: 자녀에게 안전 교육하기

1. 온라인 안전이 중요한 이유

아이들에게 AI를 소개할 때는 온라인 안전에 대한 교육을 통해 기술과 관련된 잠재적 위험으로부터 아이들을 보호하는 것이 중요합니다. AI 기반 도구와 애플리케이션이 점점 더 대중화되고 접근성이 높아지면서 아이들에게 디지털 세계를 안전하게 탐색하는 방법을 가르치는 것이 그 어느 때보다 중요해졌습니다. 아이들은 자신도 모르게 개인 정보를 노출하거나 부적절한 콘텐츠에 노출될 수 있으므로 부모는 아이들에게 AI 기반 도구와 기기를 안전하게 사용하는 방법을 교육하는 것이 중요합니다.

2. 자녀의 온라인 안전을 지키기 위한 팁

AI에 대해 학습하는 동안 자녀의 온라인 안전을 지키기 위한 몇 가지 팁을 알려드립니다.

1) 자녀 보호 기능을 설정하세요: 자녀 보호 소프트웨어를 사용하여 자녀가 온라인에서 액세스할 수 있는 콘텐츠 유형을 제한하고 자녀의 온라인 활동을 모니터링하세요.

2) 자녀에게 온라인 안전에 대해 교육하세요: 자녀에게 사이버 괴롭힘, 온라인 범죄자 등 인터넷과 관련된 잠재적 위험과 이를 피하는 방법에 대해 가르치세요.

3) 연령에 적합한 리소스를 사용하세요: 자녀의 연령과 이해 수준에 적합한 교육 자료를 활용하세요. 어린이를 위해 특별히 고안된 리소스를 찾아보세요.

4) 자녀의 온라인 활동을 모니터링하세요: 자녀의 온라인 활동과 소셜 미디어 계정을 주시하고 우려되는 점이 있으면 자녀와 대화하세요.

5) 안전한 검색 엔진을 사용하세요: 자녀가 부적절한 콘텐츠를 필터링하는 안전한 검색 엔진을 사용하도록 권장하세요.

6) 화면 사용 시간 제한하기: 자녀의 온라인 및 디바이스 사용 시간에 제한을 설정하세요. 밖에서 놀기, 독서, 친구들과 어울리기 등 다른 활동에 참여하도록 격려하세요.

7) 최신 정보 유지: 온라인 안전의 최신 동향과 위험에 대한 정보를 파악하고 그에 따라 자녀를 보호하려는 조치를 취하세요. 다음 팁을

따르면 자녀가 AI에 대해 배우고 디지털 세계를 탐험하는 동안
안전하게 지낼 수 있도록 도울 수 있습니다.

3. AI의 위험에 대해 미리 예방하세요

모든 기술과 마찬가지로 AI 사용에는 잠재적인 위험이 따릅니다.
다음은 이런 위험의 예들과 미리 예방할 수 있는 방법입니다:

1) 개인정보 보호 위험: AI 애플리케이션은 개인 데이터를 수집하고
사용할 수 있으며, 이는 개인정보 보호 문제가 될 수 있습니다.
부모는 자녀에게 개인정보 보호 설정을 사용하는 방법, 온라인에서
모르는 사람과 개인정보를 공유하지 않는 방법 등 온라인 개인정보
보호에 대해 가르쳐야 합니다.

2) 편견과 차별: 편향된 데이터로 학습하거나 학습에 사용되는
데이터가 아주 다양하지 않은 경우 AI 알고리즘이 편향될 수
있습니다. 이는 특정 집단에 대한 차별로 이어질 수 있습니다. 부모와
교육자는 자녀에게 다양성과 포용성에 대해 가르치고 AI
애플리케이션의 데이터와 가정에 의문을 제기하도록 장려함으로써
이러한 위험을 완화하는 데 도움을 줄 수 있습니다.

3) 사이버 괴롭힘: AI는 챗봇이나 소셜 미디어 알고리즘을 사용하는
등 사이버 괴롭힘을 조장하는 데 사용될 수 있습니다. 부모와

교육자는 자녀에게 사이버 괴롭힘의 유해한 영향과 온라인에서 가학적인 행동을 신고하고 차단하는 방법에 대해 가르쳐야 합니다.

4) 보안 위험: AI 시스템은 해킹 및 기타 보안 위협에 취약할 수 있습니다. 부모는 자녀에게 강력한 비밀번호 사용, 의심스러운 이메일이나 링크 피하기 등 기본적인 사이버 보안 수칙에 대해 가르쳐야 합니다.

부모는 이러한 위험을 인식하고 이를 완화하려는 조치를 취함으로써 자녀가 디지털 세계를 안전하게 탐색하고 AI의 잠재적 이점을 최대한 활용할 수 있도록 도울 수 있습니다.

4. 사이버 보안과 개인 정보 보호의 중요성을 알려주세요

기술이 발전하고 일상에서 AI를 더 자주 사용함에 따라 사이버 보안과 개인정보 보호의 우선순위를 정하는 것이 점점 더 중요해지고 있습니다. AI 기술을 사용할 때는 데이터 유출, 해킹, 신원 도용과 같은 잠재적인 위험을 인식하는 것이 중요합니다. 이러한 위험은 소프트웨어와 바이러스 백신 프로그램을 최신 상태로 유지하고, 강력하고 고유한 비밀번호를 사용하며, 의심스러운 링크나 첨부파일을 피하고, 온라인에서 개인 정보를 공유할 때 주의하는 등의 예방 조치를 취함으로써 완화할 수 있습니다.

이러한 일반적인 사이버 보안 수칙 외에도 AI 기술에는 특별히 고려해야 할 사항이 있습니다. 예를 들어, 일부 AI 기반 디바이스에는 잠재적으로 사용자를 감시하는 데 사용될 수 있는 카메라나 마이크가 장착되어 있을 수 있으므로 집안 어디에 두는지 주의하고 사용하지 않을 때는 전원을 꺼두는 것이 중요합니다. 또한 AI 기술이 사용자에 대해 수집하는 데이터의 유형과 사용 방법을 숙지하고 신뢰할 수 있는 출처와만 정보를 공유하는 것이 중요합니다.

궁극적으로 사이버 보안과 개인정보 보호는 온라인에서 자신과 가족을 보호하는 데 필수적이며, 자녀에게 AI 기술을 소개할 때 이러한 문제에 대해 교육하는 것이 중요합니다. 개인 정보와 기기를 보호하기 위한 조치를 취함으로써 우리는 AI 기술을 안전하게 사용할 수 있습니다.

5. 온라인 안전에 대해 자세히 알아볼 수 있는 리소스

다음은 미국에 기반을 둔 기관들입니다.

1) Common Sense Media: 이 웹사이트는 AI 및 잠재적 위험에 대한 정보를 포함하여 자녀를 온라인에서 안전하게 보호하는 방법에 대한 리소스와 팁을 부모에게 제공합니다.

2) The Federal Trade Commission's Kids and Tech page(연방거래위원회의 어린이와 기술 페이지): 이 페이지에서는 AI를 안전하게 사용하기 위한 팁을 포함하여 자녀에게 온라인 안전에 대해 가르치는 방법에 대한 부모와 교육자를 위한 리소스를 제공합니다.

3) Cybersecurity and Infrastructure Security Agency (CISA)(사이버 보안 및 인프라 보안 기관): CISA는 AI 기술을 사용하는 디바이스를 안전하게 보호하는 방법에 대한 팁을 포함하여 온라인에서 안전을 유지하는 방법에 대한 정보를 제공합니다.

4) National Cyber Security Alliance (NCSA)(국가 사이버 보안 연합): NCSA는 AI 사용 시 개인 정보를 보호하는 방법에 대한 정보를 포함하여 개인과 가족이 온라인에서 안전하게 지낼 수 있는 리소스와 도구를 제공합니다.

5) AI4K12: 이 단체는 교육자가 안전하고 책임감 있는 방식으로 어린이에게 AI에 대해 가르칠 수 있는 리소스와 도구를 제공합니다.

다음은 한국에 기반을 둔 기관들입니다.

1) 경찰청 사이버 안전 교육 포털(https://www.police.go.kr/www/cyber/cyber_02.do) - 개인정보

보호 방법, 안전한 인터넷 사용 방법 등 사이버 안전 및 보안에 관한 교육 자료를 제공합니다. 또한 AI 및 빅데이터 전용 섹션도 있습니다.

2) 방송통신위원회 사이버 안전 교육 포털(https://cyber.kocca.kr/) - 부모와 자녀가 온라인에서 안전하게 지내는 방법에 대한 정보와 리소스를 제공하며, AI 및 사물 인터넷(IoT) 관련 주제도 포함되어 있습니다.

3) 한국 인터넷 정보학회(KSII)(https://www.ksii.or.kr/) - 한국인터넷정보학회는 인터넷 및 정보기술과 관련된 연구와 교육을 장려하는 비영리 단체입니다. AI 및 머신러닝을 포함한 온라인 안전과 관련된 다양한 리소스와 이벤트를 제공합니다.

4) 한국 온라인 피해 아동 보호 협회(KACPOH)(http://www.kacpoh.or.kr/) - 사이버 괴롭힘, 인터넷 중독, 부적절한 콘텐츠 노출 등 온라인 피해로부터 아동을 보호하는 데 전념하는 단체입니다. 부모, 자녀, 교육자를 위한 교육 프로그램과 리소스를 제공합니다.

5) 한국 정부의 사이버 안전 포털(https://www.safetykorea.kr/) - 이 포털은 AI 및 개인정보 보호 등 온라인 안전과 관련된 다양한 주제에 대한 정보와 리소스를 제공합니다. 과학기술정보통신부에서 운영하며 한국어, 영어, 중국어, 일본어로 제공됩니다.

이러한 리소스를 통해 부모와 자녀는 AI의 잠재적 위험과 이 기술을 사용하는 동안 안전을 유지하는 방법에 대해 더 잘 알 수 있습니다.

제15장
협업 촉진: AI를 활용한 어린이들의 협력 장려

1. 팀워크와 협업을 위한 도구로 AI 활용하기

 AI 기술은 의사소통, 조직화, 공동 문제 해결을 장려하는 도구와 리소스를 제공해 아이들의 팀워크와 협업 촉진 향상에 도움을 줄 수 있습니다. AI 기반 도구를 사용하면 어린이는 물리적 위치와 관계없이 실시간으로 함께 작업하고 아이디어를 공유하며 프로젝트에서 협업할 수 있습니다. 또한 AI 기술은 아이들이 서로에게서 배우고, 갈등을 파악하고 해결하며, 비판적 사고 능력을 개발할 기회를 제공할 수 있습니다.

요컨대, AI는 아이들이 함께 일하고, 서로에게서 배우고, 디지털 시대의 성공에 필수적인 중요한 사회적, 정서적 기술을 개발할 수 있는 플랫폼을 제공할 수 있습니다.

2. 어린이를 위한 AI 기반 협업 도구의 예

1) CoScreen: CoScreen은 팀이 보다 효율적으로 협업할 수 있도록 설계된 AI 기반 협업 도구입니다. 이 플랫폼을 통해 사용자는 화면, 문서 및 기타 리소스를 실시간으로 공유할 수 있어 쉽게 협업하고 효과적으로 소통할 수 있습니다.

2) MURAL(뮤럴): 뮤럴은 팀이 디지털 화이트보드에서 협업할 수 있는 AI 기반 협업 도구입니다. MURAL을 사용하면 전 세계 어디서나 실시간으로 아이디어, 디자인, 프로젝트를 생성, 공유, 협업할 수 있습니다.

3) Slack: Slack은 팀이 실시간으로 소통하고, 협업하고, 리소스를 공유할 수 있는 AI 기반 협업 도구입니다. Slack을 통해 사용자는 채널을 만들고, 쪽지를 보내고, 파일을 공유하고, 워크플로를 자동화하여 더욱 효율적으로 협업할 수 있습니다.

4) Trello: Trello는 팀이 시각적이고 직관적인 방식으로 프로젝트, 작업 및 워크플로우를 관리할 수 있는 AI 기반 협업 도구입니다. Trello를 사용하면 보드, 목록, 카드를 만들어 작업을 정리하고 우선순위를 정할 수 있어 협업이 쉬워지고 마감일과 결과물을 놓치지 않고 파악할 수 있습니다.

5) AI 키즈노트: 한국에서 만들어진 AI 키즈노트는 교사와 학부모의 자녀 교육 협업을 돕는 모바일 애플리케이션입니다. 이 앱은 출석 관리, 수업 계획, 교사와 학부모가 실시간으로 소통할 수 있는

커뮤니케이션 도구 등의 기능을 제공합니다. AI 키즈노트는 교사와 학부모가 협력하여 자녀의 교육을 개선할 수 있도록 도와줍니다. AI 기술을 사용하여 자녀의 언어 능력에 대한 귀중한 인사이트와 피드백을 제공하므로 보다 개인화되고 효과적인 학습 경험을 제공할 수 있습니다.

이러한 AI 기반 협업 도구는 아이들이 더 효과적으로 협력하고, 아이디어와 리소스를 공유하며, 프로젝트와 작업을 더 효율적으로 완료하는 데 도움이 될 수 있습니다. 이러한 도구를 사용함으로써 아이들은 의사소통, 협업, 문제 해결, 비판적 사고와 같은 중요한 기술을 배울 수 있습니다.

3. 그룹 프로젝트와 팀워크를 위한 AI 사용법

　AI는 그룹 프로젝트와 어린이들 간의 팀워크를 촉진하기 위해 다양한 방법으로 사용될 수 있습니다. 한 가지 예로 AI 기반 기능을 통합한 가상 협업 플랫폼을 사용할 수 있습니다. 이러한 플랫폼을 통해 아이들은 어디에 있든 실시간으로 함께 프로젝트를 진행하고 가상 화이트보드, 화상 회의, 챗봇과 같은 도구를 사용하여 소통하고 협업할 수 있습니다.

AI는 학생 개개인의 강점과 약점을 기반으로 개인화된 피드백을 제공하여 학습 경험을 향상하는 데 사용될 수 있습니다. 예를 들어, AI 기반 플랫폼은 퀴즈와 과제에 대한 학생의 성과를 분석하여 추가 도움이나 연습이 필요할 수 있는 영역에 대한 맞춤형 추천을 제공할 수 있습니다.

AI는 그룹 프로젝트 내에서 과제를 할당하고 조율하는 데 도움을 줄 수 있습니다. 예를 들어, AI 기반 플랫폼은 각 팀원의 스킬 세트를 분석하고 그에 따라 작업을 할당하거나 진행 상황을 모니터링하고 특정 작업이 예정보다 늦어질 경우 팀원에게 경고할 수 있습니다.

이렇게 그룹 프로젝트와 팀워크에 AI를 사용하면 커뮤니케이션을 간소화하고 협업을 강화하며 프로젝트의 전반적인 효율성과 효과를 개선하는 데 도움이 될 수 있습니다.

4. AI를 통해 어린이들의 협업과 협동심 키우기

1) 명확한 목표와 기대치를 설정하세요: 그룹 프로젝트를 진행할 때는 처음부터 명확한 목표와 기대치를 설정하는 것이 중요합니다. 이렇게 하면 모든 사람이 동일한 결과를 향해 노력하는 데 도움이 되고 오해와 갈등을 예방할 수 있습니다.

2) 소통을 장려하세요: 효과적인 의사소통은 성공적인 협업의 핵심입니다. 아이들이 팀원들과 공개적이고 정기적으로 소통하도록 장려하세요. 챗봇이나 화상 회의 플랫폼과 같은 AI 도구는 의사소통을 촉진하고 아이들이 원격으로 더 쉽게 협력할 수 있도록 도와줍니다.

3) 역할과 책임을 부여하세요: 구체적인 역할과 책임을 부여하면 모든 사람이 프로젝트에 기여하고 있으며, 어느 누구도 과중한 업무에 시달리거나 소홀히 하지 않도록 할 수 있습니다. AI 도구를 사용하여 특정 작업을 자동화하거나 완료 방법에 대한 지침을 제공할 수 있습니다.

4) 피드백과 인정을 제공하세요: 긍정적인 강화와 피드백은 아이들에게 동기를 부여하고 팀워크를 키우는 데 큰 도움이 될 수 있습니다. 팀원들이 서로에게 건설적인 피드백을 주고 기여에 대해 칭찬하도록 장려하세요.

5) 게임화 기법을 사용하세요: 리더보드나 보상과 같은 게임화 기법을 활용하면 그룹 프로젝트의 참여도를 높이고 아이들의 동기를 부여할 수 있습니다. AI 기반 게임화 도구는 진행 상황을 추적하고 마일스톤을 달성하거나 과제를 완료하면 인센티브를 제공하는 데 도움이 될 수 있습니다.

부모는 이러한 팁을 통해 자녀가 효과적으로 협업하고 AI 기술의 힘을 활용하여 목표를 달성하는 데 필요한 기술을 개발하도록 도울 수 있습니다.

5. AI 교육에서 협업의 이점

협업은 아이들이 미래의 성공에 필요한 중요한 사회적, 정서적 기술을 개발하는 데 도움이 되므로 AI 교육의 필수적인 측면입니다. AI 기술이 포함된 프로젝트와 과제를 함께 수행함으로써 아이들은 효과적으로 소통하고 아이디어를 공유하며 서로의 의견을 존중하는 방법을 배울 수 있습니다. 또한 협업을 통해 아이들은 문제 해결에 대한 다양한 관점과 접근 방식을 접할 수 있기 때문에 비판적 사고와 문제 해결 능력을 키울 수 있습니다.

AI 교육의 맥락에서 협업은 창의성과 혁신을 촉진할 수도 있습니다. 아이들이 AI 기반 프로젝트에서 함께 작업하면 혼자서는 불가능했을 새롭고 혁신적인 아이디어를 생각해낼 수 있습니다. 또한 다른 사람과 협업하면 서로의 경험과 관점을 통해 배우면서 AI 기술과 그 잠재적 응용에 대해 더 깊이 이해할 수 있습니다.

또한 협업은 점점 더 협업적이고 글로벌화되는 미래 인력에 대비할 수 있습니다. 고용주들은 팀에서 효과적으로 일하는 능력을 높이

평가하며, 다른 사람과 협업한 경험이 있는 어린이는 직장에서
성공할 가능성이 더 높습니다. AI 교육을 통해 협업하는 방법을 배운
아이들은 복잡한 문제를 해결하고 다양한 산업 분야에서 혁신적인
솔루션에 기여할 수 있는 역량을 갖추게 됩니다.

AI 교육에서 협업을 통해 얻을 수 있는 이점은 사회성 및 정서
발달부터 창의성과 혁신 촉진, 미래 인력에 대한 준비에 이르기까지
다양합니다.

제16장
AI와 놀이: 게임을 활용해
아이들에게 기술 교육하기

1. 게임을 통한 AI 교육

게이미피케이션(gamification)은 게임이 아닌 상황에 게임 요소를 추가하여 상호작용과 재미, 흥미를 더하는 프로세스입니다. 어린이를 위한 AI 교육에서 게임화는 기술에 대한 학습을 더욱 즐겁고 흥미롭게 만드는 데 필수적인 역할을 할 수 있습니다. 게임을 도입하면 어린이가 직접 체험하고 상호작용하는 방식으로 AI 개념을 배울 수 있어 학습 경험이 더욱 흥미롭고 동기 부여가 됩니다. 학습 과정을 재미있고 흥미롭게 만들면 아이들이 해당 주제에 계속 관심을 가질 가능성이 높아지며 학습 동기가 높아집니다.

2. 어린이를 위한 교육용 게임의 예

1) Robot Turtles(로봇 거북이): 아이들에게 코딩과 프로그래밍의 기초를 가르치는 보드게임입니다. 4세 이상의 어린이를 위해 설계되었습니다.

2) The Foos(더 푸스): 더 푸스는 아이들에게 코딩과 컴퓨터 과학 개념을 소개하는 인터랙티브 게임입니다. 5세에서 8세 어린이를 대상으로 합니다.

3) Kodable(코더블): 코더블은 간단한 게임과 활동을 통해 아이들에게 코딩하는 방법을 가르쳐주는 앱입니다. 5세에서 11세 어린이를 대상으로 합니다.

4) Box Island(박스 아일랜드): 박스 아일랜드는 아이들에게 코딩과 프로그래밍의 기초를 가르치는 퍼즐 게임입니다. 6세 이상의 어린이를 위해 설계되었습니다.

5) Code.org: Code.org는 어린이들이 코딩과 컴퓨터 과학에 대해 배울 수 있는 다양한 교육용 게임과 활동을 제공하는 웹사이트입니다. 4세 이상의 어린이를 대상으로 합니다.

이 게임은 AI 기반 알고리즘을 사용하여 어린이의 학습 스타일에 맞게 조정하고 개인화된 피드백을 제공하여 더욱 효과적으로 학습할 수 있도록 도와줍니다. 이러한 게임은 어린이가 AI와 기술에 대한 흥미를 키울 수 있도록 도와줍니다.

3. 어떻게 게임 학습이 AI 개념을 이해하는 데 도움이 될까?

게임 기반 학습은 아이들이 복잡한 AI 개념을 재미있고 흥미롭게 이해할 수 있도록 돕는 효과적인 방법이 될 수 있습니다. 게임은 추상적인 개념을 구체적이고 접근하기 쉬운 방식으로 제시하여 더 쉽게 이해하고 기억할 수 있습니다. 게임을 통해 아이들은 문제 해결을 위한 다양한 접근 방식을 실험하고 시행착오를 통해 학습할 수 있습니다.

예를 들어, AI 기반 교육용 게임에서는 가상 로봇을 훈련해 다양한 물체를 인식하도록 함으로써 아이들에게 머신 러닝의 개념을 가르칠 수 있습니다. 이 게임에는 로봇이 작업을 완료하기 위해 물체를 식별해야 하는 다양한 시나리오가 제시될 수 있으며, 어린이는 시간이 지남에 따라 로봇의 정확도를 향상할 수 있도록 피드백을 제공해야 합니다. 이 과정을 통해 어린이는 학습 데이터, 알고리즘, 피드백 루프와 같은 머신 러닝의 기본 원리에 대해 배울 수 있습니다.

또한 게임 기반 학습은 아이들이 서로 협력하고 서로에게서 배울 수 있는 협업 경험이 될 수 있습니다. 팀으로 작업함으로써 아이들은 지식과 기술을 공유하고, 다양한 전략을 실험하고, 서로의 성공과 실패를 통해 배울 수 있습니다. 이러한 유형의 협업 학습은 아이들이 의사소통, 협력, 공감과 같은 중요한 사회적, 정서적 기술을 개발하는 데 도움이 될 수 있습니다.

전반적으로 게임 기반 학습은 아이들이 복잡한 AI 개념을 재미있고 흥미롭게 받아들이고, 시행착오를 통해 실험과 학습의 기회를 제공하며, 협업과 팀워크를 촉진하여 이해하도록 돕는 효과적인 방법이 될 수 있습니다.

4. 게임을 사용하여 AI를 가르칠 때의 이점

게임을 사용하여 아이들에게 AI에 대해 가르치면 다음과 같은 여러 가지 이점이 있습니다:

1) 흥미와 재미: 게임은 본질적으로 흥미를 끌기 때문에 어린이들이 AI에 대해 더 즐겁고 덜 부담스럽게 학습할 수 있습니다.

2) 실습 학습: 게임은 어린이에게 체험 학습 기회를 제공하여 AI 기술과 상호 작용하고 그 특징과 기능을 실험해 볼 수 있도록 합니다.

3) 대화형 및 개인 맞춤화: AI 기반 게임은 어린이의 능력과 선호도에 맞게 조정할 수 있어 필요에 따라 맞춤화된 학습 경험을 제공할 수 있습니다.

4) 기억력과 이해력 향상: 게임은 보다 인터랙티브(interactive-상호 작용한다는 뜻)하고 몰입감 있는 방식으로 정보를 제공함으로써

아이들이 정보를 더 잘 기억하고 복잡한 개념을 이해하는 데 도움을 줄 수 있습니다.

5) 문제 해결 능력 개발: AI 기반 게임은 AI에 대한 지식을 사용해야 하는 도전과 퍼즐을 제시함으로써 어린이가 비판적 사고와 문제 해결 능력을 개발하는 데 도움이 될 수 있습니다.

게임은 어린이가 AI 교육에 더 쉽게 접근하고 흥미를 가질 수 있도록 하는 강력한 도구가 될 수 있으며, 미래를 준비할 수 있는 중요한 기술과 지식을 개발하는 데 도움이 됩니다.

5. 어린이를 위한 AI 교육용 게임 선택, 디자인하기

다음은 어린이를 위한 AI 교육용 게임을 선택하고 디자인하기 위한 몇 가지 팁입니다:

1) 학습 목표를 정하세요: 게임을 선택하거나 디자인하기 전에 어린이가 배우기를 원하는 특정 AI 개념이나 기술을 파악하는 것이 중요합니다. 이렇게 하면 게임의 목표가 명확하고 효과적인지 확인하는 데 도움이 됩니다.

2) 연령에 적합하게 유지하세요: 게임이 자녀의 연령과 기술 수준에 적합한지 확인하세요. 게임이 너무 쉬워도 안 되고 너무 어려워도 안 되며, 지루함이나 좌절감을 유발할 수 있습니다.

3) 흥미롭게 만드세요: 게임은 어린이가 흥미를 갖고 재미있게 즐길 수 있도록 설계해야 합니다. 이는 밝은 색상, 흥미로운 캐릭터, 대화형 게임 플레이를 통해 달성할 수 있습니다.

4) 피드백 제공: 게임은 어린이에게 진행 상황과 성과에 대한 피드백을 제공해야 합니다. 이는 어린이에게 동기를 부여하고 학습을 계속하도록 격려하는 데 도움이 될 수 있습니다.

5) 협업을 장려합니다: 어린이들 간의 협업을 장려하는 방식으로 게임을 디자인하세요. 이는 멀티플레이어 게임을 사용하거나 경쟁 요소를 포함함으로써 달성할 수 있습니다.

6) 개인정보 보호 및 안전 보장: AI 교육용 게임을 선택하거나 디자인할 때는 어린이의 개인정보와 안전이 보호되는지 확인하는 것이 중요합니다. 게임이 개인 정보를 수집하지 않는지, 부적절한 콘텐츠가 없는지 확인해야 합니다.

7) 테스트하고 반복하세요: 마지막으로, 어린이와 함께 게임을 테스트하고 피드백을 바탕으로 반복하는 것이 중요합니다. 이를 통해 게임이 의도한 대상에게 효과적이고 흥미를 유발하는지 확인할 수 있습니다.

제17장
실패로부터 배우기: 어린이에게 AI를 실험하도록 장려하기

1. AI 학습 과정에서 시행착오의 중요성 배우기

시행착오는 학습 과정의 필수적인 부분이며, 특히 AI에 대한 학습에 있어서는 더욱 중요합니다. AI 교육은 새로운 아이디어를 실험하고 시도해 볼 수 있는 안전한 환경을 제공함으로써 아이들이 위험을 감수하고 실수로부터 배우도록 장려할 수 있습니다.

아이들이 AI를 실험하도록 장려하면 창의력과 문제 해결 능력을 키울 수 있습니다. 아이들이 AI를 탐색하고 실험할 수 있는 환경을 제공하면 실수를 자유롭게 하고 이를 통해 배울 수 있습니다. 이는 모든 분야에서 성공하기 위한 필수 자질인 회복탄력성과 성장 마인드를 키우는 데 도움이 될 수 있습니다.

또한, 아이들이 AI를 실험할 수 있도록 허용하면 기술이 어떻게 작동하는지 더 깊이 이해하는 데 도움이 될 수 있습니다. 다양한 접근 방식을 시도하고 결과를 관찰함으로써 아이들은 AI 시스템의 내부 작동에 대한 통찰력을 얻고 효과적으로 사용하는 방법에 대한 보다 직관적인 감각을 키울 수 있습니다.

부모는 아이들이 AI를 실험할 수 있는 안전하고 지지적인 환경을 조성하는 것이 중요합니다. 이는 적절한 도구와 리소스에 대한 액세스를 제공하고 필요에 따라 안내와 지원을 제공하는 것을 의미합니다. 또한 어린이들이 자기 아이디어와 통찰력을 다른 사람들과 공유하도록 장려하여 서로의 경험을 통해 배우고 AI 교육에 대한 공동체 의식을 키울 수 있도록 하는 것도 중요합니다.

2. 안전하고 통제된 환경을 통한 학습 기회 제공

AI 기술은 어린이가 해를 끼칠 위험 없이 실험하고 학습할 수 있는 안전하고 통제된 환경을 제공할 수 있습니다. 예를 들어, AI 기반 가상 환경을 통해 어린이는 다양한 시나리오를 테스트하고 시뮬레이션 환경에서 결과를 관찰할 수 있습니다. 이러한 환경은 어린이에게 피드백과 안내를 제공하여 실수로부터 배우고 AI 개념에 대한 이해를 높일 수 있도록 설계할 수 있습니다.

또한 AI를 사용하여 어린이 개개인의 필요와 관심사에 따라 개인화된 학습 환경을 만들 수도 있습니다. AI 알고리즘은 어린이의 학습 진도와 선호도에 대한 데이터를 분석하여 어린이의 필요에 더 잘 맞도록 학습 자료를 조정하고 수정할 수 있습니다. 이를 통해 어린이는 더욱 흥미롭고 효과적인 학습 경험을 할 수 있으며, 각자의 강점과 약점에 맞는 방식으로 실험하고 학습할 수 있습니다.

또한 AI는 어린이가 기술을 실험하는 동안 적절하고 안전한 콘텐츠에 노출되도록 하는 데에도 도움이 될 수 있습니다. 예를 들어, AI 기반 콘텐츠 필터링 도구를 사용하여 부적절한 콘텐츠를 선별하고 유해한 온라인 경험으로부터 어린이를 보호할 수 있습니다.

이렇게 어린이가 실험하고 학습할 수 있는 안전하고 통제된 환경을 제공함으로써 AI 기술은 어린이가 점점 더 AI가 주도하는 세상에서 성공하는 데 필요한 기술과 지식을 개발하도록 돕는 데 중요한 역할을 할 수 있습니다.

3. 책임감 있고 생산적인 방식으로 AI 기술 사용하기

다음은 어린이가 책임감 있고 생산적인 방식으로 AI 기술을 실험하도록 장려하는 몇 가지 팁입니다:

1) 명확한 가이드라인을 설정하세요: AI를 실험할 때 적절한 것과 그렇지 않은 것을 설명하는 가이드라인을 설정하세요. 여기에는 어떤 유형의 실험이 허용되는지, 어떤 데이터를 사용할 수 있고 사용할 수 없는지 등이 포함됩니다.

2) 창의력을 장려하세요: 아이들이 창의적으로 사고하고 열린 마음으로 실험에 접근하도록 격려하세요. 정답이나 오답은 없으며, 그 과정을 통해 배우는 것이 목표라는 점을 강조하세요.

3) 문제 해결에 집중하세요: 아이들이 AI를 사용하여 해결할 수 있는 현실 세계의 문제를 파악하도록 도와주세요. 이렇게 하면 실험이 더욱 의미 있고 흥미로워지며, 아이들이 AI의 실제 적용을 이해하는 데 도움이 됩니다.

4) 윤리적 고려 사항을 강조하세요: 편견과 개인 정보 보호 등 AI를 둘러싼 윤리적 고려 사항에 대해 아이들에게 가르치세요. 실험을 설계하고 수행할 때 이러한 요소를 고려하도록 권장하세요.

5) 협업을 장려하세요: 아이들이 함께 실험을 진행하도록 장려하고, 그 과정에서 팀워크와 협업의 중요성을 강조하세요.

6) 성공과 실패를 축하하세요: 성공을 축하하고 실패를 배움과 성장의 기회로 활용하세요. 아이들이 자신의 성공과 실패를 다른 사람들과 공유하고 다른 사람들의 경험에서 배우도록 격려하세요.

이 팁을 따르면 부모는 자녀가 책임감 있고 생산적인 방식으로 AI를 실험하고 미래를 준비할 수 있는 귀중한 기술을 배우도록 도울 수 있습니다.

4. AI 교육에 대한 '실패 포워드(fail-forword)' 접근 방식

AI는 어린이가 여러 가지 방식으로 실험하고 학습할 수 있는 안전하고 통제된 환경을 만드는 데 사용될 수 있습니다. 예를 들어, AI 기반 시뮬레이션을 통해 어린이는 다양한 시나리오를 테스트하고 안전한 가상 공간에서 결정의 결과를 확인할 수 있습니다. 또한 AI를 사용하여 어린이의 진행 상황을 모니터링하고 추적하여 학습과 개선을 돕는 개인화된 피드백과 지원을 제공할 수 있습니다.

실패 포워드(fail-forword)는 '앞으로 나아가기'라는 용어로 실패를 배우고 성장하며 개선할 수 있는 기회로 받아들이는 것을 말합니다. 실패를 좌절이나 포기해야 할 이유로 여기는 대신, 실패를 통해 얻은 교훈을 바탕으로 앞으로 나아가고 성공을 달성한다는 의미입니다.

AI 교육에 대한 '실패 포워드' 접근 방식은 실패를 통해 배우고 이를 성장과 발전의 기회로 삼는 것이 중요하다는 점을 강조합니다. 이 접근 방식은 아이들이 첫 번째 시도에서 항상 "정답"을 얻지 못하더라도 위험을 감수하고 AI 기술을 실험해 보도록 장려합니다. 안전하고 지원하는 학습 환경을 조성함으로써 어린이는 더 편안하게 AI를 탐구하고 기술과 이해를 발전시킬 수 있습니다.

AI 교육에 대한 '실패 포워드' 접근 방식의 이점에는 창의력, 문제 해결 능력, 회복탄력성 향상 등이 있습니다. AI 기술을 실험하고 위험을 감수하도록 장려되는 어린이는 실수를 배우고 개선할 기회로 여기는 성장 마인드를 키울 가능성이 높습니다. 또한 틀에 박힌 사고에서 벗어나 새로운 접근 방식을 기꺼이 시도하여 AI 분야에서 더 큰 혁신과 발전으로 이어질 수 있습니다.

제18장
부모와 자녀가 함께 배우는 다세대 학습의 이점

1. 부모와 자녀가 함께 공유하는 AI 교육

부모와 자녀가 함께 AI 기술을 배우면 가족 간의 유대감을 증진하고 학습 경험을 향상할 수 있습니다. AI 교육은 부모가 자녀와 함께 새로운 개념을 탐구하고 이해할 좋은 기회가 될 수 있습니다. 기술 발전의 속도가 빨라지면서 최신 기술을 따라잡는 것은 아이와 어른 모두에게 어려운 일이 될 수 있습니다. 하지만 함께 학습함으로써 부모는 자녀의 관심사와 교육에 대한 정보를 얻고 참여하면서 동시에 자신의 지식과 기술을 확장할 수 있습니다. 학습에 대한 이러한 협력적 접근 방식은 아이와 어른 모두에게 호기심과 학습에 대한 사랑을 키우는 긍정적이고 매력적인 분위기를 조성할 수 있습니다.

2. 다세대 학습과 세대 간 협업의 이점

다세대 학습과 세대 간 협업은 서로 다른 세대의 개인이 함께 학습하고 협업하는 과정을 의미합니다. AI 교육에서 이는 부모와 자녀가 함께 협력하여 AI 개념을 배우고 이해함으로써 두 세대 모두에게 도움이 되는 공유 경험을 만들 수 있다는 것을 의미합니다.

다세대 학습과 협업에는 몇 가지 이점이 있습니다. 첫째, 부모는 자신의 인생 경험과 전문 지식을 학습 과정에 접목하여 자녀가 미처 생각하지 못한 귀중한 인사이트와 관점을 제공할 수 있습니다. 또한 부모는 자녀의 롤모델이자 멘토로서 평생 학습의 중요성과 새로운 기술에 대한 호기심을 보여줄 수 있습니다.

자녀의 경우 부모와 함께 학습하면 학습 여정에서 지지와 동기를 부여받을 수 있을 뿐만 아니라 가족 구성원과의 유대감과 연결감을 느낄 수 있습니다. 또한 모든 사람의 기여와 아이디어를 소중히 여기는 보다 협력적이고 포용적인 학습 환경을 조성할 수 있습니다.

다세대 학습과 협업은 어린이와 성인 모두의 학습 경험을 향상하고 공동체 의식과 가족 유대감을 강화할 수 있습니다.

3. AI 교육, 온 가족이 함께 배워요

다음은 온 가족이 AI 교육을 함께 배워갈 수 있는 방법입니다.

1) 기본부터 시작하세요: 가족이 AI를 처음 접하는 경우 기본부터 시작하세요. AI가 무엇인지, 어떻게 작동하는지, 사회에 미칠 잠재적 영향에 관해 설명하는 리소스를 찾아보세요. 이렇게 하면 모두가 활용할 수 있는 지식의 토대를 구축하는 데 도움이 됩니다.

2) 연령에 맞는 리소스를 선택하세요: 가족의 다양한 연령대에 적합한 리소스를 선택하세요. 다양한 연령대에 맞는 책, 동영상, 게임 등 다양한 리소스를 이용할 수 있습니다.

3) 일상적인 경험을 활용하세요: 일상생활에서 AI에 관해 이야기할 기회를 찾아보세요. 예를 들어 음성 비서, 스마트 홈 기기, 자율 주행 자동차 등 집이나 커뮤니티에서 AI가 사용되고 있는 사례를 언급해 보세요.

4) 프로젝트에서 공동 작업하기: 간단한 챗봇을 만들거나 로봇을 프로그래밍하는 등 AI 관련 프로젝트에서 함께 작업하세요. 이를 통해 모두가 프로젝트에 대해 배우고 기여할 기회를 얻을 수 있습니다.

5) 이벤트 및 워크샵에 참석하세요: AI 교육에 초점을 맞춘 지역 이벤트와 워크샵을 찾아보세요. 함께 배우고 AI에 관심이 있는 다른 사람들과 교류할 좋은 기회가 될 수 있습니다.

6) 질문과 토론을 장려하세요: 가족이 AI에 대해 질문하고 생각을 공유할 수 있는 개방적이고 안전한 환경을 조성하세요. 토의와 토론을 장려하고 모두가 자기 생각을 공유할 기회를 제공하세요.

7) AI 교육을 가족 학습 경험에 통합하면 재미있고 보람 있는 방법으로 함께 학습하고 빠르게 진화하는 이 기술에 대한 공통된 이해를 발전시킬 수 있습니다.

4. AI 기술에 대한 호기심과 평생 학습 문화 조성의 중요성

 AI 기술에 대한 평생 학습과 호기심을 키우는 문화를 조성하는 것은 부모와 자녀 모두에게 중요합니다. AI는 빠르게 진화하고 있으며 일상생활의 여러 측면에 영향을 미치고 있으므로 이러한 발전에 대한 정보를 얻고 교육을 받는 것이 중요합니다.

부모가 AI 기술에 대해 잘 알고 있으면 직장, 가정, 커뮤니티에서 AI가 어떻게 사용되고 있는지 이해하는 데 도움이 될 수 있습니다. 또한 이러한 지식은 자녀의 학습 경험과 진로를 더 잘 안내하고 지원하는 데 도움이 될 수 있습니다.

자녀가 AI에 대한 평생의 호기심과 학습 마인드를 키우면 취업 시장에서 경쟁력을 유지하고 적응력을 키우는 데 도움이 될 수 있습니다. AI 기술은 여러 산업 분야에서 점점 더 많은 수요가 증가하고 있으며, 이러한 기술을 보유한 개인은 고용주로부터 높은 가치와 관심을 받을 수 있습니다.

또한, AI 기술에 대한 호기심과 평생 학습 문화를 조성하면 아이들이 비판적 사고와 문제 해결 능력을 키우는 데 도움이 될 수 있습니다. AI의 가능성과 한계에 대해 배우면서 중요한 질문을 던지고 새롭고 혁신적인 방식으로 AI를 개선하거나 사용할 수 있는 영역을 파악할 수 있습니다.

AI 기술에 대한 호기심과 평생 학습 문화를 조성하기 위해 부모는 자녀가 책, 동영상, 온라인 리소스를 통해 AI에 대해 탐구하고 배우도록 장려할 수 있습니다. 또한 AI 교육에 초점을 맞춘 워크샵과 이벤트에 참여하고 AI 전문가의 강연에 참석할 수 있습니다.

또한 부모는 학습 경험에 참여하고 AI 기술에 대한 지식과 기술을 지속해 업데이트함으로써 스스로 평생 학습의 모델이 될 수 있습니다. 부모는 자녀에게 학습이 지속적이고 즐거운 과정이라는 것을 보여줌으로써 자녀의 평생에 걸쳐 도움이 될 학습에 대한 호기심과 사랑을 키울 수 있습니다.

제19장
상상의 힘: AI가 아이들의 큰 꿈을 돕는 방법

1. 창의적으로 생각하고 더 나은 미래를 위한 영감 얻기

1) 자녀에게 AI 소개하기: 자녀가 AI에 대해 창의적으로 생각하도록 영감을 주는 한 가지 방법은 기술과 그 잠재력을 소개하는 것입니다. AI가 현실 세계의 문제를 해결하고 사람들의 삶을 개선하는 데 어떻게 사용되고 있는지 이야기와 사례를 공유하세요. 아이들이 AI를 사용하여 주변 세상에 긍정적인 영향을 미칠 방법에 대해 생각해 보도록 격려하세요.

2) 창의적인 사고를 장려하세요: 아이들이 틀에 박힌 사고에서 벗어나 AI를 어떻게 활용할 수 있을지 새로운 가능성을 상상해 보도록 격려하세요. 사회적 또는 환경 관련 문제를 해결하기 위해 AI를 사용할 수 있는 다양한 방법을 브레인스토밍하고, 세상을 더

나은 곳으로 만들기 위해 AI를 사용할 수 있는 방법에 대해 생각해 보도록 격려하세요.

3) 호기심 문화를 조성하세요: 아이들이 AI와 관련된 다양한 아이디어를 탐색하고 질문하도록 장려하세요. 책, 비디오 또는 교육용 게임을 통해 AI와 그 잠재력에 대해 배울 기회를 제공하세요. 아이들이 호기심과 상상력을 자극할 수 있도록 AI 기반 도구와 기술을 실험해 보도록 장려하세요.

4) 실습 학습 기회를 제공하세요: 아이들이 안전하고 통제된 환경에서 AI를 탐색하고 실험할 수 있도록 하세요. AI 기반 도구를 사용하여 자신만의 프로젝트를 만들고 디자인할 기회를 제공하세요. 이를 통해 문제 해결 능력을 키우고 기술 사용에 대한 자신감을 키울 수 있습니다.

아이들이 AI에 대해 창의적으로 생각하도록 영감을 주고 기술을 탐구하고 실험하도록 장려함으로써 미래에 도움이 될 중요한 기술과 능력을 개발하도록 도울 수 있습니다.

2. 창의적 표현력과 문제 해결 능력을 향상 시켜주세요

 AI는 다양한 방식으로 아이들의 창의적인 표현력과 문제 해결 능력을 향상하는 데 사용될 수 있습니다. 한 가지 예로 미술과 디자인에 AI 기반 도구를 사용할 수 있습니다. 이러한 도구를 통해 아이들은 다양한 색상, 모양, 질감을 실험하고 독특한 디지털 아트 프로젝트를 만들 수 있습니다. 또한 전통적인 미술용품으로는 불가능한 방식으로 아이디어를 시각화하고 현실화할 수 있도록 도와줍니다.

AI가 창의력과 문제 해결 능력을 향상할 수 있는 또 다른 방법은 교육용 게임과 시뮬레이션을 사용하는 것입니다. 이러한 도구는 아이들이 비판적으로 사고하고 복잡한 문제를 분석하며 창의적인 해결책을 개발하는 데 도움이 될 수 있습니다. 예를 들어, 지속 가능하고 환경친화적인 도시를 설계하는 게임에서는 교통, 에너지 사용, 폐기물 관리와 같은 요소를 고려하도록 어린이들에게 도전할 수 있습니다.

또한 AI 기반 챗봇과 가상 비서는 어린이들이 의사소통과 문제 해결 능력을 키우는 데 도움이 될 수 있습니다. 이러한 도구와 상호 작용함으로써 아이들은 질문을 하고, 자신을 명확하게 표현하고, 창의적으로 사고하여 문제를 해결하는 방법을 배울 수 있습니다.

AI 기반 도구를 사용하면 어린이는 새롭고 흥미로운 방식으로 창의적인 표현력과 문제 해결 능력을 개발하는 동시에 미래를 대비할 수 있는 귀중한 기술도 배울 수 있습니다.

3. 새로운 가능성을 상상하도록 도와주세요

1) 개방형 프로젝트를 제공하세요: 아이들이 정답이나 결과가 정해져 있지 않은 프로젝트를 수행하도록 장려하세요. 이를 통해 창의적으로 사고하고 자신만의 독특한 솔루션을 생각해낼 수 있습니다.

2) 실험을 장려하세요: 아이들이 다양한 AI 도구와 기술을 실험하고 자기 능력을 탐구하도록 장려하세요. 이를 통해 AI를 사용하여 문제를 해결하고 새로운 것을 창조하는 방법을 배울 수 있습니다.

3) 실패의 가치를 강조하세요: 아이들이 실패를 부정적인 결과가 아닌 학습의 기회로 여기도록 격려하세요. 일이 계획대로 진행되지 않더라도 실수로부터 배우고 그 지식을 활용하여 개선할 수 있다는 것을 이해하도록 도와주세요.

4) 협업을 장려하세요: 자녀가 다른 사람들과 협력하여 아이디어를 브레인스토밍하고 문제를 해결하도록 장려하세요. 다른 사람들과 협업하면 다양한 관점에서 문제를 바라보고 더 창의적인 해결책을 찾는 데 도움이 될 수 있습니다.

5) 창의성을 축하하세요: 마지막으로, 자녀의 창의성을 칭찬하고 열정과 관심사를 탐구하도록 격려하세요. 이렇게 하면 자녀가 학습에 대한 동기를 유지하고 학습에 몰입할 수 있으며, AI를

사용하여 꿈을 추구하고 주변 세상에 긍정적인 영향을 미칠 수 있도록 영감을 줄 수 있습니다.

부모는 이런 팁을 따라 자녀가 AI 기술을 사용하여 틀에 박힌 사고에서 벗어나 새로운 가능성을 상상하는 데 필요한 기술과 자신감을 키울 수 있도록 도울 수 있습니다.

4. AI를 통한 아이들의 긍적인 미래를 설계해 보세요

AI는 어린이들이 현실 세계의 문제를 해결할 수 있는 도구와 지식을 제공함으로써 주변 세계에 긍정적인 영향을 미칠 수 있는 잠재력을 가지고 있습니다. 어린이들이 AI를 사용하여 문제를 해결하고 새로운 솔루션을 만들도록 장려함으로써 자신이 살고 있는 세상에 대한 주체성과 책임감을 키울 수 있습니다. 예를 들어, AI 기반 도구를 사용하여 데이터를 분석하고 패턴을 식별하여 환경 문제를 해결하거나 사회 문제를 해결하는 데 도움을 줄 수 있습니다.

아이들이 AI의 긍정적인 영향력을 깨닫도록 돕기 위해 엄마들이 따라야 할 몇 가지 팁을 소개합니다:

1) 자녀가 현실 세계의 문제를 파악하도록 격려하세요: 자녀가 주변에서 볼 수 있는 문제와 AI가 이를 해결하는 데 어떻게 도움이 될 수 있는지 생각해 보도록 격려하세요. 현실 세계의 문제를

파악함으로써 아이들은 목적의식을 키우고 해결책을 만들 동기를 부여받을 수 있습니다.

2) AI 도구에 대한 액세스를 제공하세요: 아이들이 실험하고 창작하는 데 도움이 되는 AI 기반 도구와 기술을 이용할 수 있도록 하세요. 여기에는 교육용 앱, 온라인 리소스, AI 기반 장난감 등이 포함될 수 있습니다.

3) 협업과 팀워크를 키우세요: 아이들이 함께 협력하고 다른 사람들과 협업하여 솔루션을 개발하도록 장려하세요. 이를 통해 아이들은 서로에게서 배우고 중요한 사회적 기술을 개발할 수 있습니다.

4) 윤리적 고려 사항을 강조하세요: 개인정보 보호 및 편견과 같은 AI 사용과 관련된 윤리적 고려 사항을 이해하도록 도와주세요. 긍정적인 영향을 미치기 위해 AI를 사용하는 방법에 대해 비판적이고 책임감 있게 생각하도록 격려하세요.

자녀가 AI를 사용하여 문제를 해결하고 긍정적인 영향을 미치도록 격려함으로써 어머니는 자녀가 미래를 위한 중요한 기술과 지식을 개발하도록 도울 수 있습니다.

제20장
불안에서 안정으로, 안정에서 희망으로!

1. AI 시대를 살면서 컴퓨터를 알지 못하고 아이를 키우는 불안해하는 엄마들에게

저는 서두에서도 이야기했듯이 인공지능이 점점 우리 일상생활에 깊이 스며들고 사회에 큰 분야들을 차지할수록 이에 대한 지식이 부족해서 불안감도 커졌습니다. 하지만 이 책을 만드는 동안 컴퓨터 전문가가 아니어도 이 새로운 세상을 얼마든지 탐색할 수 있었습니다. 모르는 것이 문제가 아니라 새로운 것을 깊이 알려고 하지 않는 것이 문제였습니다. 그래서 용기를 냈습니다. 여러 가지 소셜미디어 계정을 만들어서 직접 경험을 해 보기도 하고 이렇게 ChatGPT와 함께 책을 만드는 것에도 도전했습니다. 막상 알아가고 도전해 보니 제가 생각하는 것만큼 어렵지는 않았습니다.

내가 배우지 않는다고 내가 모른다고 이미 AI 시대 속에서 여러 가지를 접하고 있는 아이들을 막을 수는 없습니다. 때문에 멈춰서 걱정하고 두려워하기보다는 정면으로 부딪치고 배우는 것이 더 현명한 일이라 여겨집니다. 이번 ChatGPT와 함께 책을 만드는 프로젝트에 동참하면서 더 이상 우리 엄마들이 능력이 없고 정보가 없어서 못 한다고 말을 해서는 안 된다는 생각이 들었습니다.

아이들이 보이지 않는 미래를 향해 불안한 마음으로 걸어가는 것이 아니라 호기심과 확신에 찬 마음으로 걸어가기 위해서는 부모인 우리가 먼저 용기를 내야 합니다. 자신과 자녀 모두 성장 마인드를 키우는 데 집중해야 합니다. 지금은 비록 부족하고 잘 알지 못해도 성장 마인드를 가지고 한 걸음 내디딘다면 시간이 지남에 따라 더 많이 배우고 발전하고 성장할 수 있을 것입니다. 또한 아이보다 한 걸음 앞서 내다보면서 아이가 가는 길을 잘 안내 해줄 수 있을 것이며 바르고 최선의 판단을 할 수 있도록 조력자가 되어 줄 수 있을 것입니다.

결국 미래는 도전하는 자에게 더 많은 기회가 주어질 것입니다. 때문에 새로운 세대를 알고자 하는 노력과 도전! 이것이야말로 우리 부모가 아이들에게 줄 수 있는 최고의 교육이 아닐까 생각합니다.

마지막으로 AI 세대 아이들을 키우는 데 있어 무엇보다 균형과 절제의 중요성을 잊어서는 안 될 것입니다. 테크날리지와 AI는 유용할 수 있지만, 절대적으로 믿어서는 안 됩니다. 아이가 그것을 사용하고 다룰 기회를 주지만 그것에만 의존하게 해서는 안 되고 다른 활동을 위한 시간을 확보하고 필요할 때는 화면에서 분리하는 것이 중요합니다. 이 책을 통해 AI 세계를 소개한 것이지 아이들의 삶에 이것이 절대적이고 중요하다고 말하려는 것은 아닙니다. 아이가 균형 있는 배움을 통해 몸과 마음과 생각이 건강하게 자랄 수 있게 도와주세요. 이 세상 무엇과도 바꿀 수 없는 소중한 엄마들과 아이들의 삶을 응원합니다.

2. 감사의 메시지

 먼저 이 책을 만들어야겠다는 동기부여를 해준 사랑하는 딸 주은이와 아들 주영이에게 감사의 마음 전합니다.

사랑하는 아이들아! 너희들이 없었다면 엄마는 이런 주제로 책을 만들어야겠다고 생각하지 못했을 거야.

너희들이 엄마, 아빠에게 온 후로 엄마의 모든 배움은 너희로부터 출발하는구나. 너희들에게 더 책을 재밌게 많이 읽어주고 싶어서 동화구연 자격증을 땄고 너희들에게 배움의 즐거움을 알게 해주고 싶어서 엄마는 끊임없이 생각했고 다양한 것들을 먼저 경험하기도 했단다. 엄마의 이런 수고와 노력을 잘 알고 언제나 최선을 다해 노력해주는 너희들로 인해 엄마, 아빠는 무척 감사해. 엄마와 함께 즐겁게 한글을 배웠듯이 엄마와 함께 즐겁게 새로운 세계도 배워보자. 너희들 앞에 펼쳐진 미래를 불안해하지 말고 언제나 하루하루 최선을 다하며 살아가자.

실패를 두려워하지 말고 언제나 앞을 향해 도전하자. 앞을 향해 열심히 걸어갔는데 더 이상 길이 없다면 절망하고 좌절하기보다는 그럼에도 불구하고 걸어가렴. 느려도 괜찮고 완벽하게 걷지 않아도 괜찮아. 앞을 향해 한 걸음 한 걸음 내딛는 그 과정이 너무나 소중하단다. 가다 보면 알게 될 거야. 아무도 밟지 않아서 길이 없을 뿐, 네가 밟는 순간! 그때부터 그곳이 길이 될 거란 것을.

행여나 살아가다 힘든 일이 생긴다면 언제나 너희 곁에 하나님과 엄마, 아빠가 함께한다는 것을 기억해주렴.

사랑하고 축복해.

내가 도전하고 노력하는 모든 것에 있어 단 한 번도 반대하지 않는 사랑하는 남편에게 감사를 드립니다. 나의 부족함에도 불구하고 언제나 곁에서 도와주셔서 감사합니다.

짧은 시간 동안 해내야 하는 작업이라 다른 일상에 신경 쓰지 못했을 때도 불평하지 않고 아이들을 돌보고 챙겨주셔서 감사하고 언제나 의논하고 이야기를 나눠주셔서 감사합니다.

이 책을 만드는 동안 내용은 부족할지 몰라도 이 책을 만들어 가는 과정은 충분히 감사했고 행복했습니다. 배워가는 기쁨, 창작하는 기쁨, 새로운 세계를 탐험하는 즐거움을 가득 느낄 수 있었습니다. 이 책이 나올 수 있게 도와주신 모든 분과 책을 읽어주신 독자 한 분, 한 분께 진심으로 감사의 마음을 전합니다. 감사합니다.